「科幻推進實驗室」的誕生

雖然生物技術已經越來越高深
可是《科學怪人》的憂慮卻似乎離我們越來越近

雖然「一九八四」已經過去二十幾年
可是人類卻好像越來越走向《一九八四》

偉大的科幻心靈就像宇宙中原子聚合的恆星
發光發熱，照亮銀河中黑暗的角落

「科幻推進實驗室」立志要集合這些既精采又深刻
既娛樂又啟發的科幻傑作，逐年出版

把科幻推進到這個社會
讓我們享受這些非凡想像力所恩賜的心靈奇景

讓我們在娛樂中獲得啟發
在通俗中得到智慧

這就是「科幻推進實驗室」誕生的目標

經典艾西莫夫 02

機器人四部曲之II

裸陽

經典艾西莫夫 02

機器人四部曲之Ⅱ

裸陽

艾西莫夫◎著

葉李華◎譯

〔導讀〕

艾西莫夫偏心的理由

葉李華

科幻大師艾西莫夫用了半生的歲月，以整個銀河系為背景，撰寫了一套俯仰兩萬載、縱橫十萬光年的未來史，為二十世紀科幻文壇，立下一個難以超越的里程碑。

這套名副其實源遠流長的「大河科幻小說」，其上、中、下游分別為機器人系列、銀河帝國系列與基地系列。雖說手心手背都是肉，但艾氏晚年曾在一篇文章中「偷偷告訴讀者」，還是機器人系列在他心中佔了最重的份量。

如果要認真探究艾西莫夫為何「偏心」，至少得寫一篇上萬字的論文。但若抽絲剝繭，直指核心，那麼首要的理由，應當是三大系列中，要數機器人系列最為豐富多元，並且包羅萬象。

最簡單的例子，本系列包含三十幾個中短篇（主要描述近未來世界，全部收入《機器人故事全集》一書）以及四部長篇（描述大約兩千年後的遠未來），就和其他兩大系列，在結構上有顯著的不同。

其次，雖說早在一九四二年，艾西莫夫就以「機器人學三大法則」，開創了一個嶄新的科幻領域，並終身奉行不渝，以致他筆下的機器人，無異於三大法則的化身（只有極少數例外），然而這絕不代表，在本系列各個故事中，除了三大法則之外，再無其他可觀之處。

事實上，艾氏在闡揚三大法則之餘，總不忘求新求變，在他的機器人小說裡，加入其他（科幻或非科幻）主題和元素，尤其擅長將表面上冷冰冰的機器人，寫成有情有義甚至賺人熱淚的角色。這在《機器人故事全集》的中短篇裡，已經屢屢可見，到了本系列的長篇部分，更是發揮得淋漓盡致。

舉例而言，貫穿四部長篇的主角丹尼爾，便是這類機器人的典型，至於「後起之秀」的吉斯卡，在情義這方面的表現，也可說不遑多讓。

此外，就類型小說而言，本系列每一部長篇，都並非單純的機器人科幻小說。但在探討這個特點之前，需要先做些歷史背景的介紹。

若從寫作順序來看，四部長篇明顯分割成兩個時代，《鋼穴》和《裸陽》是一九五〇年代的作品，《曙光中的機器人》和《機器人與帝國》則晚了近三十年。可是，在研究這四本書的時候，最好避免這樣的二分法，因為實際上，艾氏早就有心寫成一套「機器人三部曲」，只是好事多磨，早年未能完成這個心願。換言之，《曙光中的機器人》可算是難產多年之後才終於誕生的作品，其基本架構並未偏離當初的寫作大綱。

後來，讀者們自然而然，將這三本書合稱為「貝萊三部曲」，因為這三個故事的第一男主角，是一位名叫貝萊的地球警探。由此即不難想像，貝萊三部曲同時也是標準的推理小說；每一個故事，都以一件兇殺案為主軸。

兩種類型小說的聯姻，總是能帶來無窮的新意，在這個實例中，艾西莫夫更是將「科幻＋推理」玩得出神入化。一來，他本身也是推理迷（自己也動手寫過）；二來，機器人學三大法則天生就是極佳的推理題材；三來，推理小說在科幻世界裡找到了更寬廣的舞台，使得以巧智見長的艾西莫夫，倍感如魚得水，揮灑自如。

因此之故，在這套三部曲中，處處可見顛覆傳統推理小說的情節，其中最重要的，當數機器人可以扮演各式各樣的角色，從警探到受害者，從兇手到幫兇和兇器，幾乎無所不包。只不過，在此當然不能討論機器人行兇是否有違「第一法則」，得請大家靜待作者揭開謎底。

至於第四本長篇，則需要多花些筆墨來討論。

首先，在這個故事裡，貝萊已經作古將近兩百年，成了銀河中家喻戶曉的傳奇人物（頗為類似基地系列的謝頓），所以當然可將這本書，視為貝萊三部曲的「後傳」。

我們只要多讀幾遍，即可發現艾氏相當用心經營這本後傳，比方說，他特別利用倒敘手法，讓讀者瞥見貝萊臨終前，所交代的一番重要遺言（導致丹尼爾悟出了凌駕三大法則的「第零法則」，其影響力一直延伸到基地系列的大結局）。此外，貝萊三部曲的場景，分別是地球、索拉利星和奧羅拉星，而在本書，或許為了暗示它是三部曲之後的「句點」，所以刻意讓這三顆行星，都在故事裡佔有一席之地。

更耐人尋味的是，如果我們換個角度，不難看出由於第四冊的加入，這個「四部曲」還巧妙地組成了雙重三部曲——後面三本，可稱為「嘉蒂雅三部曲」。

這位嘉蒂雅不是別人，正是遲至《裸陽》才終於出場的女主角。她的出現，替陽剛的機器人推理小說，不著痕跡地注入一絲浪漫氣息，而且越到後面，這股氣息越明顯。因此我們可以大膽假設，艾西莫夫至少在潛意識中，試圖將嘉蒂雅三部曲寫成一套愛情科幻小說。

所謂橫看成嶺側成峰，除了上述這些觀點，其實還能從另一個完全不同的角度，解析艾氏撰寫這本書的動機和目的。原來，在艾氏早年的作品中，刻意不讓機器人系列和其他系列扯上關係，以暗示彼此是互相獨立的虛擬歷史，但在沉潛二十多年後，艾西莫夫終於決定，要將三大系列融鑄成一個科幻有機體，亦即本文開頭所提到的銀河未來史。

種種證據顯示，艾氏在生命中最後十年，最大的心願就是修完這套未來史！所以他在這段時期所寫的長篇小說，無論機器人系列或基地系列，都含有替這個目的鋪路的企圖。而在這個補綴和自圓其說的浩大工程中，最關鍵的一環，莫過於在機器人系列和銀河帝國系列之間，搭起一座時空橋樑——在這個譬喻下，這座橋名叫《機器人與帝國》，自然再恰當不過。

最後再回過頭來，對《機器人故事全集》做些補充。顧名思義，本書當然是艾氏所寫的機器人中短篇故事大全，其中還包括一篇貝萊與丹尼爾的故事〈鏡像〉，而《我，機器人》這部經典之作，則化整為零地藏身於這本全集內（因此嚴格說來，艾氏未來史的「機器人系列」只有五冊，並不包括《我，機器人》）。不過除了完整之外，本書另有一大特色，就是以分門別類的方式編排所有的故事。例如上述的〈鏡像〉，收錄在「人形機器人篇」；艾氏自己最喜歡的機器人故事〈雙百人〉，則收在「壓軸篇」。這種別出心裁的呈現方式，顯然兼顧了舊雨新知——新讀者很容易一目了然，老讀者則會有一網打盡的滿足感。唯一美中不足的是，本書始終未曾再版，以致艾氏晚年的幾篇作品（例如蘇珊．凱文的最後一役〈機器人之夢〉）因而成了遺珠之憾。

＊　＊　＊

十多年前，聯合報王開平先生神來一筆，送給我「艾西莫夫中文世界代言人」這樣的榮銜，老實說，我內心始終相當惶恐。因為過去二十年來，雖然我一直有心想要完成「艾西莫夫未來史」三大系列的翻譯工作，可惜陰錯陽差，竟讓機器人四部曲兩度擦身而過，所以我經常戲稱自己只能算是「十五分之十一的代言人」。

如今，先有上海讀客出版社的鼓勵，後有台北貓頭鷹出版社的肯定，讓我終於得以完成這個重大心願，並以兩種中文於同一年發表。從今以後，我總算能心安理得地接受這個代言人的封號了。

【參考資料】皆收錄於筆者個人網站「艾西莫夫未來史」單元

- 現代機器人故事之父（《我，機器人》導讀）
- 樞紐與轉捩點（銀河帝國系列導讀）
- 不朽的科幻史詩（基地三部曲導讀）
- 基地與機器人（基地前後傳導讀）

導讀人兼譯者簡介

葉李華，一九六二年生於高雄市，台灣大學電機系畢業，加州大學柏克萊分校理論物理博士，致力推廣中文科幻與通俗科學二十餘年。曾任交通大學科幻研究中心主任，現為自由作家。著有科幻小說「衛斯理回憶錄」系列，主編有《倪匡科幻獎作品集》等。

科普譯作包括《胡桃裡的宇宙》等十餘冊，科幻譯作包括艾西莫夫科幻經典「機器人系列」、「銀河帝國系列」與「基地系列」共十六冊，被譽為「艾西莫夫在中文世界的代言人」。個人網站 http://www.yehleehwa.net/。

〔代序〕

機器人小說背後的故事

艾西莫夫

我和機器人結下不解之緣的時間，就寫作而言是在一九三九年五月十日，然而身為科幻迷的我，在更早之前就愛上了機器人。

畢竟，機器人並不是什麼新鮮的科幻題材，早在一九三九年已是如此。在古代和中世紀的神話傳說中，就有不少機械所製造的人類。至於「robot」這個名詞，最早則是出現於卡爾．查別克（Karel Capek）所寫的劇本《RUR》，這齣舞台劇於一九二一年在捷克首映，而劇本很快就翻譯成許多種外語。

RUR的意思是「羅森的全能機器人」，劇中的羅森是一位英國工業家，他為了讓人類能夠過著充滿創造性的悠閒生活，因而製造了一批人造人來為人類服務（「robot」就是衍生自捷克文的「奴工」一詞）。雖說羅森的立意良好，事實並未照他的計畫發展，那些機器人叛變了，人類因此自取滅亡。

這種想像中的新科技，會在一九二一那個年頭被視為大災難的根源，或許並沒有什麼好驚訝的。別忘了，當時第一次世界大戰剛結束不久，人類才見識過戰車、飛機和毒氣的威力——借用「星際大戰三部曲」的說法，那正是「原力的黑暗面」。

相較於《科學怪人》這個更有名的故事，《RUR》注入了較濃的悲觀色彩，前者雖然也有人造人的情節，而且這個舉動同樣導致不幸，相對而言規模卻小得多。由於這兩部經典作品的影響，在一九二〇和三〇年代的科幻作品中，作者經常將機器人描寫成危險的裝置，照例一定會毀掉它的創造者。這類作品一而再、再而三強調一個寓意，那就是：「有些事物人類不該知道。」

不過，我在十幾歲的時候就有不同的見解，我無法接受「如果知識代表危險，無知就是解決之道」這樣的觀點。在我看來，解決之道似乎是善用人類的智慧才對。人類不該拒絕面對危險，而應當學習如何化險為夷。

畢竟，早在某一群靈長類變成人類之初，這樣的問題已經是人類所面臨的挑戰。任何一項新科技都有可能帶來危險，打從一開始，火就是一種危險的科技，而語言又何嘗不是（且危險性尤有過之），這種情形直到今天仍未改變。可是如果沒有這兩項科技，人類就不是人類了。

總之，當時我雖然不太清楚自己對機器人故事有何不滿，內心卻一直在期待更精彩的作品。不久我終於等到了，那是刊登於《震撼科幻小說》一九三八年十二月號的一個短篇〈海倫・奧洛〉，作者是列斯特・德爾瑞（Lester del Rey），他以極富同情心的筆調來描寫一個機器人。我相信那只是他所發表的第二個故事，但從此以後，我就是個至死不渝的德爾瑞迷了（請大家千萬別告訴他，他一定還不知道）。

而幾乎同一時間，在一九三九年一月號的《驚異故事》中，因多・班德（Eando Binder）在短篇小說〈我，機器人〉裡也創造了一個引人同情的機器人。雖然相較之下，這個故事的內容貧乏得多，但我再度大受感動。不知不覺間，我開始有了想要創作機器人故事的念頭，而且決心要把我的機器人寫得人見人愛。在一九三九年五月十日這一天，我終於動筆了，前後總共寫了兩週，因為在那個時代，我寫作的速度還相當慢。

這個故事被我命名為〈小機〉，主角是個機器人保母，雖然它和所照顧的女孩感情很好，女孩的媽媽卻怕它怕得要死。然而，弗列德．普爾（Fred Pohl，當年他和我一樣才十九歲，此後我們的歲數也年年相同）比我來得聰明，他讀完這個故事之後告訴我，由於情節和〈海倫．奧洛〉太接近了，大權獨攬的《震撼》主編約翰．坎柏（John Campbell）不可能刊登。他說得很對，後來坎柏正是以這個理由退稿。

沒想到幾個月後，弗列德成為兩家新雜誌的編輯，而他竟然在一九四〇年三月二十五日買下了〈小機〉，並將它刊登在一九四〇年九月號的《超級科幻小說》，不過題目改成了〈奇異的玩伴〉（弗列德有個可怕的惡習，就是喜歡亂改別人的題目，而且幾乎總是改得更糟。後來，這個故事在別處發表過許多次，一律使用我原來的題目）。

然而在那個時代，除非是將作品賣給坎柏，否則我無論如何都會感到遺憾。所以不久之後，我便試著創作另一個機器人短篇。不過，這回我先和坎柏討論了自己的構想，以確定本篇完成之後，他退稿的唯一原因就是寫得不夠好。然後，我才正式動筆寫出〈理性〉這個故事，大意是說一個機器人有了宗教信仰。

坎柏於一九四〇年十一月二十二日接受了這篇小說，並於次年四月刊登在他所主編的《震撼》。這是我賣給他的第三個作品，但卻是他第一次照單全收，沒有要求我做任何修改。我因此感到十分得意，於是很快又寫了我的第三個機器人短篇，主角是個擁有讀心術的機器人，題目叫做〈騙子！〉。坎柏同樣爽快地接受了，將它刊登於一九四一年五月號，換句話說，連續兩期《震撼》都有我的機器人小說。

但我並未打算就此停手，我心中有一系列的故事要寫。

還有一件更重要的事。一九四〇年十二月二十三日，當我和坎柏討論讀心機器人這個構想的時候，兩人不知不覺談起了規範機器人行為的規則。在我看來，機器人應該是具有內建安全機制的工業產品，於是我們開始替這些安全機制設想白話的版本——這就是「機器人學三大法則」的前身。

後來，我在第四個機器人短篇〈轉圈圈〉中，首次寫出三大法則的確定內容，並在故事裡直接引用。這個短篇發表於一九四二年三月號的《震撼》，其中「機器人學三大法則」在該刊第一百頁首次出現。我很重視這件事，因為據我所知，這也是「機器人學」這個名詞在人類歷史上首度亮相。

在一九四〇年代結束之前，我又賣了四個機器人短篇給《震撼》，分別是〈抓兔子〉、〈逃避〉（坎柏改成了〈矛盾的逃避〉，因為兩年前他刊登了一篇同樣叫做〈逃避〉的故事）、〈證據〉和〈可避免的衝突〉，分別發表於一九四四年二月號、一九四五年八月號、一九四六年九月號以及一九五〇年六月號。

自一九五〇年起，幾家大型出版機構（其中最有名的是雙日公司）開始出版精裝的科幻小說。一九五〇年一月，雙日公司出版了我自己的第一本書——長篇科幻小說《蒼穹一粟》，與此同時，我已在埋首撰寫自己的第二部長篇。

那陣子，我的經紀人剛好是弗列德·普爾，他自然而然想到，或許我的機器人故事也可以出一本書。雖然當時雙日公司對短篇小說集沒什麼興趣，但另一家非常小的格言出版社態度則不同。於是，一九五〇年六月八日，我將這個選集交給了格言出版社，暫訂的書名是《心靈與鋼鐵》。結果，出版商搖了搖頭。

「改為《我，機器人》吧。」他說。

「不行。」我說，「十年前，因多·班德的短篇小說就用過這個題目。」

「管他的！」出版商答道（不過這幾個字是經過我刪節之後的版本）。結果，我懷著相當不安的心情，勉強被他說服了。《我，機器人》成為我的第二本書，在一九五〇年的年尾問世。

這本書收錄了我在《震撼》所發表的八個機器人短篇，但次序經過了調整，好讓前因後果更為合理。除此之外，我還把那篇〈小機〉也收在裡面，因為雖然它被坎柏退稿，我仍舊很喜歡這個故事。

其實在一九四〇年代，我另外還寫過三個機器人短篇，它們或是遭到坎柏退稿，或是他根本沒看過，但由於和其他故事構成的主線欠缺直接關聯，我並未將它們收錄於《我，機器人》。後來，在該書出版後的幾十年間，我又寫了好些機器人短篇，最後它們連同上述三篇，全部毫無遺漏地收錄於另一個選集中——書名是《機器人短篇全集》，由雙日公司於一九八二年出版。

《我，機器人》的出版並未造成什麼轟動，但是年復一年，它的銷售量即使不大，至少一直很穩定。而在五年之內，這本書又陸續推出軍用平裝本、平價精裝本、英國版和德文版（這是我的書第一次譯成外文）。到了一九五六年，「新美國文庫」甚至也替它出了平裝本。

唯一的問題是，格言出版社長期處於苟延殘喘的狀態，從未提供一份清楚的銷售報表給我，稿酬就更別提了（我的「基地三部曲」也交給了格言出版社，所以遭到同樣的命運）。

一九六一年，雙日公司在獲悉格言出版社的困境之後，趕緊設法接手《我，機器人》以及「基地三部曲」。從那時開始，這幾本書的銷售狀況不可同日而語。事實上，《我，機器人》自問世以來，始終未曾絕版過，至今已經三十三年了。而在一九八一年，我甚至賣出了電影版權，可惜目前為止尚未開拍。此外據我所知，它被翻譯成了十八種語言，包括俄文和希伯來文在內。

但我的故事好像講得太快了。

再回到一九五二年吧，當時《我，機器人》尚未脫離苦海，只是格言出版社的叢書之一，而我根本不覺得有任何成就感。

當時，好些新的一流科幻雜誌出現了，科幻文壇又來到「百家爭鳴」的時期。例如一九四九年創刊的《奇幻與科幻雜誌》，以及一九五〇年的《銀河科幻》都是代表。約翰．坎柏因而喪失了獨霸的地位，四〇年代的「黃金時代」也隨之結束了。

在這種環境下，我開始為《銀河》的主編侯瑞斯．高德（Horace Gold）供稿，而這也令我鬆了一口氣。前後曾有八年的時間，我一律只投稿給坎柏，不禁覺得自己是他的專屬作家，萬一坎柏哪天出了意外，我也就完了。好在，和高德的密切合作解除了我這方面的焦慮。高德甚至連載了我的第二部長篇小說《繁星若塵》，不過他將書名改成《太暴星》，我覺得很糟糕。

我新認識的編輯其實不只高德一人，例如我還把一個機器人短篇賣給了霍華德．布朗尼（Howard Browne），那陣子他正任職於想轉型為高格調雜誌的《驚異》。後來，這篇〈保證滿意〉發表於該刊的一九五一年四月號。

不過，這件事只能算是例外。整體而言，當時我已不打算再寫機器人的故事。《我，機器人》的出版似乎自然而然為我這方面的文學生涯畫上了句點，而我也已經開始朝其他方向發展了。

然而，高德幫我連載完那部長篇之後，非常希望再接再厲，而更重要的原因，則是我剛完成的另一部長篇《星空暗流》已交由坎柏連載。

於是，一九五二年四月十九日，高德找我討論接下來能再為《銀河》寫一部什麼樣的長篇。他建議寫個機器人的故事，我卻堅決地搖了搖頭。在此之前，我寫的機器人都是短篇，而我根本不確定能否以機器人為題材，寫出一部長篇小說。

「你當然沒問題，」高德說：「要不要寫一個人口過剩的世界，機器人逐漸取代了人力。」

「太灰色了。」我說：「我不覺得自己會想處理這麼沉重的社會議題。」

「那就保持你的風格。你喜歡推理故事，就在裡面安排一樁謀殺案，然後讓一名偵探和一個機器人合作辦案，如果偵探束手無策，機器人就會取而代之。」

這句話激起了火花。坎柏常常說，所謂的「科幻推理」本身就是個矛盾的名詞，因為作者可以投機取巧，利用新科技替偵探解決疑難雜症，而讀者也就上當了。

因此，我決心寫一個不會欺騙讀者的正統推理故事——但同時也要是標準的科幻小說。結果我寫出了《鋼穴》，隨即在一九五三年十月號至十二月號的《銀河》分三期連載完畢。次年，雙日公司出版了這部長篇小說，是為我的第十一本書。

毫無疑問，《鋼穴》是我那時為止最成功的作品，不但比之前的每一本書都要暢銷，就連讀者的來函也變得更為親切了，而（最佳的證明是）雙日公司對我眉開眼笑的程度大大超過以往。過去，他們在簽約之前，一律要求我提供大綱並試寫幾章，但從此以後，我只要表示想寫一本新書，合約就會立刻送來。

事實上，由於《鋼穴》太過成功，令我無可避免地想要寫個續集。要不是當時我剛投入科普的創作，而且覺得其樂無窮，我想自己一定會馬上動筆。由於這個緣故，我直到一九五五年十月，才真正開始撰寫《裸陽》這個故事。

然而一旦開動，一切便很順利。就許多方面而言，它和前一本書起著互相平衡的作用：《鋼穴》的時空背景是未來的地球，那是個人類太多而機器人太少的世界；《裸陽》的故事則發生在索拉利，那個世界恰恰相反，人類太少而機器人太多。此外，雖然我的小說通常欠缺男歡女愛，這回我卻刻意用輕描淡寫的筆法，在《裸陽》中引進一段愛情故事。

我對這個續集極為滿意，而且在我內心深處，甚至認為它比《鋼穴》更精彩，問題是，接下來我該怎麼做呢？當時我和坎柏已經有些疏遠，因為他開始涉獵一種稱為「戴尼提」的偽科學，而且竟然對飛碟、心靈力學等等的怪力亂神越來越感興趣。但另一方面，我受過他太多的恩惠，因而對於自己將重心轉移到高德身上（我最近的兩個作品都交給他連載）我感到相當內疚。好在高德從未參與《裸陽》的寫作計畫，它的歸宿當然可以完全由我決定。

因此之故，我將這部小說投給了坎柏，他立刻接受了，分成三部分連載於《震撼》的一九五六年十月號至十二月號，而且照例沒有更動我的書名。次年，也就是一九五七年，雙日公司出版了這部長篇小說，成了我的第十二本書。

即使沒有青出於藍，《裸陽》的表現也絕對不輸《鋼穴》，於是雙日公司立刻指出，我可不能到此為止。正如我的「基地三部曲」那樣，我應該再寫一本，湊成另一個三部曲。

我完全同意，而且心中很快就有了粗略的構想，甚至連書名都想好了，叫做《無限的邊界》。

一九五八年七月，我們全家安排了一個長達三週的假期，住在麻州馬什菲爾德的海濱度假小屋。我原本打算利用這個空檔，把這本新書寫出七、八成來。故事預定發生在奧羅拉，其中的「人類／機器人比」相當合理，既不像《鋼穴》那樣前者遠遠超過後者，也不像《裸陽》那種剛好相反的情形。而且，我決定對其中的愛情部分更加著墨。

看來是萬事俱備——結果還是出了問題。這麼說吧，進入一九五〇年代之後，我對「非小說文類」的寫作越來越感興趣，於是生平頭一遭，寫小說時竟擦不出火花。我勉強寫了四章，就再也寫不下去，最好只好放棄。我檢討了一下，認為那是由於我在內心深處，總是覺得自己無法處理男女之愛，也無法將人類和機器人的比例調整到旗鼓相當的地步。

其後的二十五個年頭，這個情況一直沒有改變。但另一方面，《鋼穴》和《裸陽》始終沒有絕版，更沒有消失。比方說，這兩本書曾合併為《機器人小說》重新出版，也曾經和其他幾個機器人短篇組成一大冊的《機器人餘集》。此外，還有好幾種平裝本陸續問世。

因此，在這二十五年間，讀者都不難找到這兩本書，而且（我假設）讀得津津有味。於是有許多讀者來信要求我再寫一本續集，而在科幻大會之類的場合，他們更是當面質問我。久而久之，它成了我最難迴避的一個要求（唯一能相提並論的，就是要求我寫第四本基地小說的呼聲）。

而每當被問到我是否有這個打算，我總是回答：「會的——總有一天——所以祈禱我長命百歲吧。」

雖然我也覺得應該寫，但一年又一年過去了，我卻越來越肯定自己處理不了這個主題，也就越來越含淚相信自己永遠寫不出第三本機器人小說。

然而，一九八三年三月某一天，我還是將這個「千呼萬喚始出來」的第三冊交給了雙日公司。這本書叫做《曙光中的機器人》，內容和一九五八年那個半途夭折的嘗試毫無關係。一九八三年十月，它終於和讀者見面了。

——以撒．艾西莫夫於紐約市

目次

機器人學三大法則

一、機器人不得傷害人類，或因不作為而使人類受到傷害。

二、除非違背第一法則，機器人必須服從人類的命令。

三、在不違背第一及第二法則的情況下，機器人必須保護自己。

第一章　問題

以利亞・貝萊頑強地抵抗著內心的恐懼。

這個恐懼感至少累積了兩個星期。不，甚至更久，應該追溯到他們把他召去華盛頓，將另有任用的消息平靜地告訴他那一刻。

被召去華盛頓已經是一件令人頭痛的事，更糟的是徵召命令中並沒有任何說明。不過最令他頭痛的，則是隨函附上的那張來回紐約與華盛頓的飛機票。

他意識到這意味著情況緊急，當下便開始坐立不安。而一想到搭飛機，就令他更加坐立不安了。話說回來，這兩種不安的情緒都還不難抑制。

畢竟在此之前，利亞・貝萊已有四次搭飛機的經驗，其中一次甚至是跨洲飛行。因此，雖然這絕不是什麼愉快的旅行方式，至少他並非踏入完全未知的領域。

而且，從紐約飛往華盛頓只要一小時而已。飛機將從紐約的第二跑道起飛，在華盛頓的第五跑道降落。兩者都是官方專用的跑道，因此密閉防護做得特別周延，比方說，飛機一定要達到起飛速度，通往大氣層的閘門才會自動開啟。

此外貝萊還很清楚，飛機上固然應有盡有，例如充足的照明、精美的食物等等，唯獨不會有任何窗戶。這種由無線電控制的飛行相當平穩，一旦飛機升空，乘客幾乎不會再有任何感覺。

想當初，除了如此自我安慰，他還這麼安慰他的妻子潔西。她不但從未坐過飛機，而且一想到這種事就心生恐懼。

她說：「我不希望你搭飛機，利亞，那太不自然了。為什麼不搭捷運去呢？」

「因為那要花上十個小時，」貝萊的長臉整個皺了起來，「而且因為我隸屬於大城警局，必須服從上級的命令。如果我想保有C6級的官階，至少得做到這件事。」

這一點，當然毫無爭議。

上了飛機之後，貝萊一直緊盯著在他眼前不停捲動的新聞報表。大城對於這項服務相當自豪：新聞、專題、幽默小品、知性文章，甚至小說都一應俱全。據說，總有一天這種報表會由膠捲取而代之，因為閱讀鏡能包覆住整個視線，因而更加分散乘客對周遭環境的注意力。

貝萊目不轉睛地讀著新聞報表，除了故意要讓自己分神，也是為了遵守基本禮節。飛機上另外還有五名乘客（他不可能不注意到這個簡單的事實），人人都有權根據先天的本質和後天的教養，表現出不同程度的畏懼和焦慮。

在這種坐立不安的時刻，貝萊當然痛恨有人刺探自己。比方說，他現在雙手緊抓著座椅扶手，指節都因而泛白，而且一旦抬起手來，一定會留下兩灘汗漬，他絕不希望別人見到這些窘態。

他告訴自己：我仍處於封閉空間，這架飛機是個具體而微的大城。

可是他騙不了自己。他的手肘能感覺到左邊是一塊一英寸厚的鋼板，而鋼板後面，就什麼也沒有了——嗯，有空氣！但其實等於什麼也沒有。

左側是一千英里的空氣，右側也一樣。而正下方的空氣，也有一兩英里厚吧。

他多麼希望自己能夠直視下方，瞥見沿途那些地底大城的頂端——紐約、費城、巴爾的摩、華盛頓。他開始想像那些起起伏伏綿延不斷的低矮穹頂，雖然從未見過，但他確定它們一定存在。而在其下一英里處，那些向四面八方延伸幾十英里的空間，就是所謂的大城。

他彷彿在心中見到了大城裡那些密密麻麻、沒有盡頭的通道，人來人往熱鬧無比。此外還有數不清的公寓、社區食堂、工廠、捷運帶——處處充滿人群，因此充滿了舒適和溫暖。

而他自己，則鎖在一個金屬彈丸內，孤立於冰冷的半空中，朝向一片虛空飛去。

他感到雙手在發抖，於是強迫自己將目光鎖定在新聞報表上，讀了一小段。

那是一篇講述銀河探索的短篇小說，而且主角顯然是地球人。

貝萊惱怒地咕噥了一聲，然後趕緊屏住氣息，十分後悔自己發出這個魯莽的聲音。

不過，那個故事實在太荒謬了。為了迎合那些幼稚的讀者，居然假設地球人能征服太空。銀河探索！地球人休想。整個銀河都被太空族霸佔了，雖說他們幾個世紀前也是地球人。太空族的祖先搶先抵達外圍世界，發現那些星球條件極佳，而在幾代之後，他們的子孫就再也不歡迎移民了。他們這麼做，等於將地球上的遠親都圈禁起來。而地球的大城文明則更上一層樓，把地球人關進一個個大城中——甚至由於畏懼開放空間，地球人連自己世界上的機器人農場和礦場都不敢去。

貝萊痛苦地想：耶和華啊！如果不喜歡這種事，我們就做點什麼吧，別拿這些童話故事浪費時間了。

可是他也知道，什麼事都做不了。

飛機著陸了。他和其他乘客一起出來，隨即四下散去，彼此始終沒有看一眼。

貝萊看了看手錶，認為還來得及梳洗一番，然後再搭捷運前往司法部。他很高興還有這點時間。此時此刻他的所見所聞，不論是喧囂的人聲，巨大的封閉式機場，以及通往大城各層的通道，在在令他覺得自己又回到了溫暖安全的大城子宮內。他的心情逐漸恢復平靜，現在只要再沖個澡，就能把焦慮徹底沖乾淨了。

根據規定，必須有差旅許可證才能使用公共浴室，但他亮出了出差文件，所有的困難便一掃而空。唯一的例行手續就是蓋個章，賦予他使用私人小間的特權（特別加註日期以防濫用），然後他就收到一張紙條，上面註明它的詳細位置。

踩在路帶上的踏實感令貝萊不禁謝天謝地。等到他逐漸換到高速路帶，一步步向捷運帶接近時，那種加速感更是一種奢華的享受。他藉著一個輕巧的轉身登上捷運帶，隨即找了一個適合自己官階的座位。

現在並非尖峰時間，因此有不少空位。當他抵達公共浴室之後，發現同樣不算太擁擠。他申請到的那個小間狀況良好，裡面還有一個自助洗衣機。

在善用了自己的清水配額，把衣服也洗好之後，他覺得有心情去司法部了。相當諷刺的是，他甚至覺得心情愉快。

司法部次長阿伯特．敏寧擁有一副短小精悍的身材，他的皮膚紅潤，頭髮大半灰白，全身上下幾乎沒有什麼稜角。他散發著一種淨潔的氣息，以及淡淡的刮鬍水味道。這一切，都在說明像他這樣的高官擁有充足的民生配額，得以過著養尊處優的生活。

相較之下，貝萊覺得自己簡直就是面黃肌瘦。站在次長面前，他更加體會到自己有著一雙粗大的手掌，一對深陷的眼窩，而且從頭到腳似乎骨瘦如柴。

敏寧熱誠地說：「坐吧，貝萊。你抽菸嗎？」

「我只抽菸斗，次長。」貝萊答道。

與此同時，他取出了自己的菸斗，敏寧便將抽出一半的雪茄又推了回去。

貝萊立刻後悔了。有見面禮總比沒有的好，就算是雪茄也不錯。雖然他剛從C5級晉升到C6，菸草的配給隨之增加，但還是不足以抽個過癮。

「如果你想抽，就點著吧。」敏寧說。然後，他像個慈祥的父親一般，耐心看著貝萊仔細裝填適量的菸草。

貝萊的眼睛仍盯著自己的菸斗。「次長，我還不知道自己被召來華盛頓的原因。」

「這我知道，」敏寧微微一笑，「我現在就可以告訴你。你要被暫時調往他處。」

「離開紐約大城嗎？」

「距離相當遠。」

貝萊揚了揚眉，顯得若有所思。「暫時又是多久呢，次長？」

「我不確定。」

貝萊對於調職的優點和缺點都很清楚。如果以出差的身份，暫時住在另一個大城，他或許能過著超過他目前官階所能享有的生活。但另一方面，潔西和他們的兒子班特萊幾乎不可能獲准和他一起去。當然，他們會在紐約受到良好的照顧，但貝萊是個戀家的男人，不喜歡和家人分隔兩地。

此外，調職意味著執行一件特殊任務，這是好事，但肩負的責任要超過一名普通刑警，這就可能不太好受了。沒幾個月之前，紐約附近發生了一樁太空族謀殺案，貝萊歷經千辛萬苦才終於破案。如果又是這樣的案件，或是類似的案子，他將感到興趣缺缺。

他問：「可否請您告訴我要把我派去哪裡？任務屬於什麼性質？這一切到底是怎麼回事？」

他開始揣度次長所說的「距離相當遠」究竟是指何處，還在心中和自己打了一個小賭。「相當遠」似乎有強調的意味，於是貝萊心想：加爾各答？雪梨？

然後，他注意到敏寧終究還是抽出一根雪茄，仔細點著了。

貝萊想道：耶和華啊！他感到難以啟齒，他根本不想講。

敏寧將嘴裡的雪茄取出來，一面望著煙圈一面說：「司法部是要派你去索拉利執行一件臨時任務。」

貝萊隨即在心中尋思索拉利的位置：在亞洲，在澳洲……？

他突然一躍而起，硬邦邦地說：「你的意思是，外圍世界之一的索拉利？」

敏寧並未接觸貝萊的目光。「完全正確！」

貝萊說：「但那是不可能的，他們不會允許地球人踏上任何外圍世界。」

「這叫此一時彼一時，便衣刑警貝萊，索拉利上發生了一樁謀殺案。」

貝萊的嘴角扯出一個皮笑肉不笑的表情。「那有點超出我們的管轄範圍了，是不是？」

「他們主動請求協助。」

「請求我們？請求地球？」貝萊在困惑和難以置信之間掙扎不已。外圍世界一向只會鄙視地球這顆母星，想要他們對地球做點施捨都是癡心妄想，他們怎麼可能請求地球協助呢？

「請求地球協助？」他又問了一遍。

「的確不尋常，」敏寧主動承認，「但事實如此。他們希望地球指派一名警探負責那件案子。這件事，是雙方最高層通過外交途徑談定的。」

貝萊坐了回去。「為什麼找我呢？我不年輕了，我已經四十三歲。我有妻有子，我不能離開地球。」

「我們沒有選擇的餘地，便衣，對方指定要你。」

「要我？」

「紐約大城警局C6級便衣刑警以利亞．貝萊。他們知道要找的是誰，而你當然知道為什麼。」

貝萊倔強地說：「我不夠資格。」

「他們認為你夠。你處理那樁太空族謀殺案的經過，他們顯然知之甚詳。」

「他們一定完全搞錯了，傳聞一定誇大了許多。」

敏寧聳了聳肩。「無論如何，反正他們指名要你，而我們也已經同意派你去。所以你暫時被調職了。所有的手續都已經辦好，你非走不可。當你不在地球的時候，你的妻子和小孩會受到C7級的待遇，因為這正是你這段時期的暫時官階。」他頗有深意地頓了頓，「只要圓滿完成任務，這官階就永遠是你的。」

一切都發生得太快了，不應該是這樣的。他不能離開地球，這點難道他們不明白嗎？

他用自己聽來都感到不自然的聲音，平平板板地問道：「什麼樣的謀殺？情況到底如何？為什麼他們自己處理不了？」

敏寧伸出善加保養的手指，挪動了辦公桌上的一個小物件，然後搖了搖頭。「我對這樁謀殺案毫無概念，也不知道情況到底如何。」

「那麼誰有概念呢，次長？你總不希望我腦袋空空地去那裡吧？」這時，他心中又響起那個絕望的聲音：但我不能離開地球啊。

「這件事，誰也沒有任何概念。起碼地球人沒有，索拉利人根本未曾告訴我們。這是你的工作，你要查出這樁謀殺案究竟有什麼重大干係，逼得他們非找地球人辦案不可。或者應該說，那是你的工作之一。」

情急之下，貝萊竟然脫口而出：「要是我拒絕呢？」當然，他知道會得到什麼答案。他完全瞭解對他自己以及家人而言，解雇到底代表什麼意義。

但敏寧並未以解雇回應，他輕聲答道：「你不能拒絕，便衣，這是你的責任。」

「我對索拉利有責任？讓他們去死吧。」

「不，是對我們，貝萊，對我們。」敏寧頓了頓，然後繼續說：「面對那些太空族，地球的處境如何，我想不必我多說了。」

貝萊的確知道地球的處境，凡是地球人都知道。五十個外圍世界人口都不多，總共加起來仍遠小於地球的人口數，話說回來，他們的軍事潛力有可能是地球的一百倍。在那些地廣人稀的世界上，他們致力發展正子機器人經濟，個人平均能量產值高達地球的幾千倍。而無論軍事潛力、生活水準、幸福指數，以及其他的一切，皆取決於每個人生產能量的多寡。

敏寧又說：「無知是令我們陷入這個困境的原因之一。就是這兩個字，無知。太空族對我們瞭若指掌，他們頻頻組團前來地球，天曉得為什麼。而我們對他們的瞭解，則僅限於他們告訴我們的事。從來沒有地球人踩上任何一個外圍世界的土地，而你卻有機會。」

貝萊試著強調：「我不能……」

可是敏寧繼續說了下去：「你卻有機會，而且你的機會絕無僅有。你是應邀前往索拉利的，你要做的事都是他們所指派的。任務結束後，你會帶回對地球很有用的情報。」

貝萊以憂鬱的目光望著這位次長。「你的意思是，要我當地球的間諜。」

「談不上什麼間諜。除了他們要求你的事，你什麼也不必做。你只要張大眼睛，敞開心胸，給我好好觀察！等你回來後，地球上的專家會負責分析和詮釋你的觀察結果。」

貝萊說：「我猜應該是出現危機了，次長。」

「為何這麼說？」

「派地球人去外圍世界是有風險的。太空族憎恨我們。地球固然有最大的誠意，但即使我是應邀前往，仍有可能引發星際糾紛。地球政府只要願意，其實很容易推掉這件事，他們可以說我生病了。太空族對疾病有病態的恐懼，如果他們聽說我病了，無論如何不會想再要我了。」

「你是在提議，」敏寧說：「要我們試試這種伎倆？」

「不。如果政府沒有其他的動機，早該自己想到這個藉口，甚至更好的藉口。由此可知，要我扮演間諜才是真正重要的事。果真如此的話，政府冒這個險一定有更重要的原因，絕非只是希望我張大眼睛而已。」

貝萊本以為對方會暴跳如雷，而在他想來，能用這種方式釋放壓力也不錯。但敏寧只是露出冰冷的笑容，回應道：「你似乎有看透表象的本事。然而，這點我早就料到了。」

次長從辦公桌後面傾身面對著貝萊。「下面這些情報，你絕不能洩漏出去，甚至不能和其他政府官員討論。關於目前的銀河局勢，我們的社會學家得出一個結論：那五十個外圍世界，人口稀少，勢力強大，善用機器人，民眾個個健康長壽。反觀我們，擁擠不堪，科技落後，壽命不長，而且在他們支配之下。這是個不穩定的局面。」

「往遠裡看，任何事物都是不穩定的。」

「這個不穩定卻近在眼前，據我們估計，頂多在一百年之後。沒錯，我們碰不到，但我們還有下一代。到頭來，我們會對外圍世界產生太大的威脅，終將自取滅亡。地球人有八十億之眾，個個痛恨太空族。」

貝萊說：「太空族禁止我們接觸銀河，操弄我們的貿易從中獲利，控制著我們的政府，並將我們視為糞土。他們指望什麼回應？感激嗎？」

「說得很對，但我們的互動模式早已定型。反抗，鎮壓，反抗，鎮壓——一個世紀之內，地球上的人類將被徹底消滅。社會學家就是這麼說的。」

貝萊顯得坐立不安。社會學家和他們的電腦通常是不會遭到質疑的。「如果一切都是事實，你又指望我能做些什麼呢？」

「為我們帶回情報。我們對太空族所做的社會學預測，最大的瑕疵就在於欠缺資料。我們只能根據被派到地球來的少數太空族做出種種假設。我們只能藉由他們提供的資料來瞭解他們，於是覺得他們除了長處還是長處。他媽的，他們有機器人，他們人口少，他們壽命長。可是他們有沒有短處呢？有沒有什麼可供我們利用的條件，能夠改變我們注定滅亡的社會學必然性；有沒有什麼行動指導方針，能夠增加地球存活的機率。」

「改派社會學家去，難道不是更好嗎，次長？」

敏寧搖了搖頭。「如果我們能任意派人去，那麼早在十年前，這些結論首先浮現之際，我們已經這麼做了。事實上直到今天，我們才首度有這種機會；他們需要我們的警探支援辦案，這是天賜良機。警探也是社會學家——憑經驗法則行事的應用社會學家，否則他就不算優秀的警探。記錄會說話，你正是優秀的警探。」

「謝謝您，次長。」貝萊機械式地答道，「萬一我碰到麻煩呢？」

敏寧聳了聳肩。「那是當警察的風險之一。」他揮揮手，表示不願多談這個問題，隨即又補充道：「總而言之，你非去不可。你的啟程時間已經定好，太空船也已經在等你了。」

貝萊僵住了。「等我？我何時動身？」

「兩天後。」

「那麼我得趕回紐約一趟。我太太……」

「我們會去探望你太太。你該明白，絕不能讓她知道你在出什麼任務。我們會告訴她，這段時間別指望你會跟她聯絡。」

「但這簡直沒人性。我一定要見她一面，我可能再也見不到她了。」

敏寧說：「我要再講一句或許更沒人性的話，想想看，你每天早上出任務的時候，是否同樣無法確定她晚上還能不能再見到你？貝萊便衣，我們都得盡忠職守。」

貝萊的菸斗已經熄了一刻鐘，但他一直沒注意到。

沒有任何人能提供他進一步的資料。對於那樁謀殺案，沒有任何人有任何概念。其後他所接觸的一個個官員，毫無例外地催促他盡快上路，直到他終於來到太空基地，心中仍舊無法接受這個事實。

太空船活像一支瞄準天際的巨砲，周遭這片開放空間令貝萊不寒而慄。夜幕逐漸降臨（貝萊感到謝天謝地），彷彿四面深黑的牆壁逐漸聚攏，並在頭頂形成黑色的天花板。這是個典型的陰天，但雲縫中仍透出一線星光，貝萊雖然在天象館看過星星，此時還是忍不住吃了一驚。

那是很遠很遠的一個小亮點。他逐漸不再恐懼，只是好奇地凝視著它。看起來它相當近，相當不起眼，但那些銀河之主就住在這種天體附近，更明確地說是住在它周圍的行星上。他想，太陽也是這樣的天體，只不過近得多，目前正在地球的另一端閃閃發光。

他突發奇想，將地球想像成一個大石球，上面貼著一層水氣薄膜，薄膜外面就是一片虛空；所謂的地底大城其實都很淺，顫顫巍巍地夾在岩石和空氣之間。他覺得毛髮直豎！

那艘太空船當然屬於太空族所有。星際貿易完全掌握在太空族手中。現在他落單了，他已經置身大城之外。在登船之前，他經歷了沐浴、洗刷和消毒的過程，總算達到了太空族的安全標準。即便如此，他們還是只派一個機器人來接他。他這個大城居民身上仍舊黏著大城裡的上百種病菌，雖然他自己不在乎，那些有如溫室花朵的優生太空族卻是毫無抵抗力。

在黑夜中，機器人顯得特別巨大，雙眼還射出暗紅的光芒。

「便衣刑警以利亞·貝萊？」

「是的。」貝萊答得很乾脆，後頸的汗毛卻豎起了一些。看到機器人做著人類的工作，身為地球人的他難免會氣得起雞皮疙瘩。雖說當初偵辦太空族謀殺案的時候，機．丹尼爾．奧利瓦曾經和他聯手辦案，但那另當別論。丹尼爾是……

「請你跟我來。」那機器人說，隨即有一道白光從他們的位置一路射向太空船。

貝萊邁開腳步。他走上階梯，登上太空船，穿過幾條走廊，最後走進一間艙房。

那機器人說：「這是你的房間，便衣刑警貝萊，在整個旅程中，你要一直待在這裡。」

貝萊心想：是啊，把我關起來，這樣才安全，其實就是將我隔離。

剛剛穿過那些走廊時，他沒有見到任何人影。現在，那裡也許正有許多機器人在進行消毒。而面前這個機器人離去後，也許會立刻去做一次殺菌浴。

那機器人說：「這裡面有完善的盥洗設備。食物會定時供應，閱覽的資料隨手可取。舷窗由這個面板控制，現在是關著的，但如果你想觀賞太空……」

貝萊有點激動地說：「不必了，小子，就讓它關著吧。」

地球人一向習慣用「小子」稱呼機器人，但那個機器人並沒有任何負面的反應。它當然不會有，他的反應一律受到機器人學三大法則的限制和掌控。

機器人彎下巨大的金屬身軀，做了一個滑稽的鞠躬動作，便轉身離去了。

單獨待在艙內的貝萊開始評估目前的狀況。這至少比搭飛機來得好。一架飛機能從頭看到尾，能看到它的邊界；太空船則大得多，裡面有許多走廊、甲板和艙房。它本身就是一個小規模的大城，貝萊幾乎可以自由地呼吸。

燈光忽然閃了一下，通話器中傳出機器人的金屬聲音，對他詳細說明起飛加速之際如何做好自我防護。

他感覺到安全帶傳來的壓力以及液壓系統的緩衝作用，還聽見遠處傳來微質子堆噴射引擎的隆隆聲。大氣層被撕裂的聲音隨即響起，而接下來一個鐘頭，這個聲音越來越小、越來越尖銳，終於逐漸消失。

他們進入太空了。

彷彿所有的感官皆已痲木，彷彿再也沒有什麼真實的事物。他告訴自己，每過一秒鐘，他距離地球、距離潔西便又多了好幾千英里，但他心中並未體會這個事實。

到了第二天（或是第三天？——現在他只能靠吃飯睡覺來計時，因此說不準），突然出現一種身體內外翻轉的詭異感覺，但下一刻便消失無蹤。貝萊知道這就是所謂的躍遷，這種借道超空間的特殊運動，能以極其不可思議、甚至近乎神祕的方式，將太空船和其中的一切瞬間轉移好幾光年。過了一段時間之後，太空船又做了一次躍遷。然後又過了一段時間，又再做了一次躍遷。

貝萊在心中告訴自己，現在距離地球已有幾光年、幾十光年、幾百光年，甚至幾千光年。

他不確定究竟有多遠。地球上沒有任何人知道索拉利位在何處。這點他敢一口咬定。地球人相當無知，沒有任何例外。

他覺得分外孤獨。

當他感到減速之際，那機器人也隨之出現。它用那對暗紅色眼睛仔細檢查了貝萊的安全帶，很有效率地拴緊一顆螺絲，又迅速檢查了一遍液壓系統。

它說：「我們將在三小時後著陸。請你留在這間艙房。有人會來護送你出去，將你帶到你的住處。」

「等等。」貝萊緊張地喚道——被安全帶綁著的他感到十分無助。「我們著陸時，當地是幾點鐘？」

機器人立刻回答：「根據銀河標準時間，是……」

「當地時間，小子，當地時間！耶和華啊！」

機器人繼續不疾不徐地說：「索拉利的一天有二十八．三五個標準小時，每個索拉利時有十個索拉利分，每個索拉利分有一百個索拉利秒。預計我們抵達航站時，是當地時間的零時五分二十秒。」

貝萊恨透了這個機器人。不只是因為它頭腦簡單，更因為它逼得自己必須直接提出那個自曝其短的問題。

可是他不得不問。他冷冰冰地說：「會是白天嗎？」

兜了這麼一大圈，機器人終於回答：「是的，先生。」然後就走了。

會是白天！他必須在大白天，走在毫無遮掩的行星表面。

他不太確定那會是什麼情況。他曾經在大城某些角落瞥見過地球的表面，甚至曾經短暫置身大城之外。不過在此之前，大城的圍牆總是保護著他，或起碼近在咫尺。他總是感到安全無虞。現在他會感到安全嗎？黑夜或許還能製造圍牆的假象，可是現在，他連這點期望都落空了。

由於絕對不願在太空族面前示弱——寧死也不肯——他勉強在安全帶中挺直身子，閉上眼睛，頑強地抵抗著內心的恐懼。

第二章　老友

貝萊快要堅持不住了。光憑理性並不足以戰勝恐懼。

他在心中一遍又一遍告訴自己：有些人一輩子都生活在開放空間，例如現在的太空族，以及過去的地球人。沒有圍牆並不等於會有實質危險。我根本不該那麼想，那是一種錯誤的觀念。

可是這一切都徒勞無功。他心中一直有個非理性的聲音，哭喊著要找圍牆，死也不肯接觸開放空間。

隨著時間慢慢溜走，他認為自己不可能做到了。最後他一定會可憐兮兮地縮成一團，渾身不斷發抖。前來接他的太空族（鼻孔裡插著濾器以防細菌，雙手戴著手套以避免接觸）甚至不會瞧不起他，只會感到噁心而已。

貝萊咬緊牙關撐著。

太空船終於停下來，安全帶自動解開，液壓系統也退回到艙壁內。貝萊留在座位上，雖然很害怕，但他決心不表現出來。

當艙門傳來一聲輕響，他刻意將目光移往別處，僅從眼角瞥見門口出現一個高大的、有著古銅色頭髮的人物——那是一名太空族，雖然他們是地球人的後裔，但高傲的他們甚至不願承認這個事實。

那太空族喚道：「以利亞夥伴！」

貝萊猛然轉過頭去，立刻睜大眼睛，不由自主地站了起來。

他盯著這張臉孔，凝視那寬闊高聳的顴骨、絕對平靜的表情、完全對稱的輪廓，尤其是那雙藍眼睛所射出的直勾勾的目光。

「丹——丹尼爾。」

那太空族說：「很高興你記得我，以利亞夥伴。」

「何止記得你！」貝萊覺得大大鬆了一口氣。對方不但和地球有淵源，而且是他的朋友，令他感到安慰，感到得救了。他差點忍不住要衝上去擁抱這個太空族，非但緊緊抱住不放，還要縱聲大笑，用力拍打對方背部，總而言之，凡是老友久別重逢會做出的瘋狂舉動，他都很想照做一遍。

但是他並沒有那麼做，他不能那麼做。他只能上前一步，一面伸手一面說：「我怎麼會忘記你呢，丹尼爾。」

「我很高興你這麼說。」丹尼爾嚴肅地點了點頭，「而你十分清楚，我只要還在運作，就不太可能忘記你。能再見到你真好。」

丹尼爾堅定地握住貝萊的手，五指施加的壓力恰到好處，一會兒後才鬆開。

貝萊心中瞬間湧現一股濃烈的感情，或許可稱之為金蘭之愛，許久之後仍未完全消退。貝萊有些難為情，衷心希望對方那深不可測的目光無法看穿自己的內心。

畢竟，貝萊不能把丹尼爾·奧利瓦當成朋友那般友愛，因為他並非人類，他只是個機器人。

這位酷似人類的機器人說：「我申請了一輛由機器人駕駛的地面交通工具，將以空氣管和這艘太空船直接相連……」

貝萊眉頭一皺。「空氣管？」

「對。這是一種在太空中常用的技術，無須特殊的抗真空裝備，便能在兩艘太空船之間運送人員或物資。你似乎並不熟悉這種技術。」

「沒錯，」貝萊說：「但我聽懂了。」

「當然，把這種裝置用在太空船和地面交通工具之間就沒那麼簡單了，但我還是要求務必辦到。幸好你我從事的這項任務有最高優先權，各種困難都很快克服了。」

「你也被派來調查這樁謀殺案？」

「你還不知道嗎？真抱歉我沒有立刻告訴你。」當然，在這機器人完美的臉龐上，看不出任何抱歉的神情。「我希望你還記得漢·法斯陀夫博士，上回我們在地球上合作時，你曾和他見過一面。最初就是他提議的，說你是偵辦這個案子的適當人選。而且他還開出條件，必須讓我和你合作，就像上次那樣。」

貝萊擠出一個笑容。漢·法斯陀夫博士是奧羅拉人，而奧羅拉是外圍世界中最強大的一員。奧羅拉人提出的建議顯然頗有份量。

貝萊說：「一對好搭檔是不該被拆散的，呃？」（這時，初見丹尼爾的喜悅逐漸褪去，貝萊胸口又感覺到一股壓力。）

「我不知道他心裡是否真這麼想，以利亞夥伴。從他對我下的命令看來，我認為他只是希望你的搭檔曾接觸過你們的世界，因而瞭解你們的怪癖。」

「怪癖！」貝萊皺起眉頭，覺得對方太過份了。他不喜歡和這個名詞牽扯在一起。

「比方說，我就知道需要安排空氣管。我十分瞭解你對開放空間有多麼反感，因為你一直生長在地球的大城中。」

或許是由於「怪癖」這個說法令貝萊覺得必須反擊，以免被一台機器踩在腳下，但也可能是長久以來所受的訓練，讓他無法容忍任何邏輯上的矛盾，總之，他猛然間轉換了話題。

他說：「這趟旅程中，有個機器人負責隨船照顧我。那個機器人——」（他的口氣透出敵意了）「看起來就像機器人。你認識它嗎？」

「我登船之前，跟它說過話。」

「它叫什麼名字？我該怎麼聯絡它？」

「它就叫RX二四七五，索拉利人通常只用序號稱呼機器人。」丹尼爾的目光掃到了艙門附近的控制面板，「這個按鈕就能呼叫它。」

貝萊望向那個控制面板，丹尼爾所指的那個按鈕標示著「RX」，意思似乎相當明顯。

貝萊伸手按了一下，不到一分鐘，那個看起來像機器人的機器人便進來了。

貝萊說：「你就是RX二四七五。」

「是的，先生。」

「不久前你告訴我會有人護送我下船，你說的是不是他？」貝萊指了指丹尼爾。

兩個機器人目光相交。RX二四七五說：「他的文件可以證明他就是來接你的那個人。」

「除了那份文件，在此之前你還知道些什麼？有沒有人對你形容過他的樣貌？」

「沒有，先生。然而，我知道他的名字。」

「是誰告訴你的？」

「這艘太空船的船長，先生。」

「他是索拉利人嗎？」

「是的，先生。」

貝萊舔了舔嘴唇。下一個問題起著關鍵性作用。

他說：「你從船長那裡聽到的是什麼名字？」

RX二四七五說：「丹尼爾．奧利瓦，先生。」

「好孩子！你可以走了。」

RX二四七五又做了一次機器人式鞠躬，隨即一個轉身，走出了艙房。

貝萊轉向他的夥伴，若有所悟地說：「你並未將實情全部告訴我，丹尼爾。」

「此話怎講，以利亞夥伴？」丹尼爾問。

「剛才跟你聊著聊著，我忽然想到一個疑點。當RX二四七五告訴我即將著陸時，它提到會有人來護送我。這點我記得相當清楚。」

丹尼爾靜靜聽著，什麼也沒說。

貝萊繼續講下去：「我本來以為或許是那個機器人弄錯了。我也曾經以為原本奉命來接我的人臨時由你取而代之，RX二四七五並不知道這件事。但你也聽到我怎麼問它了。它聽說你會帶著文件，還知道你的名字。可是，它所知道的名字並不完整，對不對，丹尼爾？」

「沒錯，它並不知道我的全名。」丹尼爾承認道。

「你的名字並非丹尼爾・奧利瓦，而是機・丹尼爾・奧利瓦，對不對？更完整的說法則是機器人・丹尼爾・奧利瓦。」

「這麼說相當正確，以利亞夥伴。」

「由此可知，RX二四七五始終不曉得你是機器人，它一直誤以為你是人類。既然你有人類般的外貌，這樣的偽裝的確行得通。」

「我不打算反駁你的推論。」

「那我們就繼續下去。」貝萊開始感到一種狂野的喜悅。他抓到了一點線索，雖然並不多，但他一向擅長這種鬥智遊戲。正是因為他有這方面的專長，才會被請到太空的另一頭來辦案。「好，為何會有人想欺騙一個可憐的機器人呢？對它而言，你是人還是機器人毫無差別，反正它都得服從命令。因此我得到一個合理的結論：那位索拉利船長自己也不知道你是機器人，才會這麼告訴它，同理，把這件事告訴船長的索拉利官員同樣不知道真相。如我所說，這是一個合理的結論，但或許並非唯一的結論。它到底正不正確？」

「我相信是正確的。」

「很好，那麼我猜對了。可是為什麼呢？漢・法斯陀夫博士在推薦你擔任我的搭檔時，為何要讓索拉利人以為你是人類。這麼做難道不危險嗎？索拉利人如果發現真相，可能會相當生氣。他為何要這麼做呢？」

這個人形機器人答道：「我所聽說的解釋如下，以利亞夥伴。如果你和一名太空族聯手辦案，會提高你在索拉利人心目中的地位，反之，如果你和一個機器人合作，則會讓他們更瞧不起你。既然我熟悉你的作風，能夠和你合作愉快，博士因而想到，不如就讓索拉利人誤以為我是人類，但絕不主動以任何資料欺騙他們。」

貝萊並不相信這種說法。不太可能有任何太空族會自然而然對一個地球人的感覺顧慮得那麼周到，即便開明如法斯陀夫也不例外。

他想到了另一個可能性，於是說：「索拉利人是否以善於製造機器人聞名外圍世界？」

「我很高興，」丹尼爾說：「你對索拉利的經濟結構已有若干瞭解。」

「恰恰相反，」貝萊說：「我頂多只能猜到索拉利三個字怎麼寫。」

「那我就不懂了，以利亞夥伴，你怎麼會問出這樣的問題，而且還是那麼貼切的問題。你簡直是一語中的。我的資訊儲藏提供了如下事實：無論就機器人的款式或性能而言，在五十個外圍世界中，索拉利的產品都是最有名的。其他外圍世界都從索拉利進口特殊型號的機器人。」

貝萊繃著臉點了點頭，對這個答案表示滿意。想當然，丹尼爾並不懂得從人性弱點出發，進行直覺式的跳躍思考。貝萊也不覺得有必要解釋自己的推理過程。如果索拉利真是機器人學的聖地，漢．法斯陀夫博士和他的同僚就可能會有意炫耀他們自己的機器人傑作，這是非常符合人性的動機。而這樣的動機和一個地球人的安全或感覺毫無關係。

如果索拉利的專家上了當，把這個奧羅拉機器人當成人類，就等於證明了法斯陀夫他們高人一等。

貝萊覺得好多了。說也奇怪，剛才他動用了所有的理智力量，想盡辦法說服自己，卻仍舊無法脫離恐懼，沒想到自己虛榮心一浮現，所有的恐懼就被一掃而空。

當然，發現太空族居然有虛榮心，這點也是有幫助的。

他想道：耶和華啊，畢竟我們都是人類，包括太空族在內。

他扯開喉嚨，大聲問道：「我們要等多久才能等到地面車？我早就準備好了。」

好些跡象都顯示空氣管並不適合現在這個用途。他們兩人——一個人和一個人形機器人——走出太空船，進入了空氣管，而隨著他們的移動，柔軟的網狀結構開始彎曲和搖擺（貝萊可以隱約想像，在太空中的失重狀態下，只要輕輕一踢，任何人都能順著管子從一艘船滑到另一艘）。

空氣管的另一端縮得很窄，彷彿被一隻巨掌使勁捏住，網眼擠成了一團。拿著手電筒的丹尼爾開始匍匐前進，貝萊也有樣學樣。他們就這樣爬完最後的二十英尺，終於鑽進了所謂的地面車。

上車後，丹尼爾小心翼翼地關上滑門。接著便傳來厚重的「卡嗒」一聲，想必是空氣管撤離了。

貝萊好奇地四下張望。這輛地面車並沒有太古怪的地方。一前一後有兩排座椅，每排能容納三名乘客，而且前後左右都有車門。車壁的光滑部分應該都是窗戶，不過現在一片漆黑，不透任何光亮，想必正處於極化作用之下，這點貝萊倒是很熟悉。

車頂有兩個圓形照明器，射出的黃色光芒充斥車內。一言以蔽之，貝萊唯一感到陌生的，就是裝在正前方隔板上的那個發話器，以及看不到駕駛儀器這件事。

貝萊說：「我猜司機坐在隔板的另一邊。」

丹尼爾說：「完全正確，以利亞夥伴，我們可以這樣下達指令。」他微微傾身向前，輕觸一個按鍵，一盞紅燈便閃了起來。他輕聲說道：「我們已就座，可以啟程了。」

貝萊聽到一陣細微的呼呼聲，但幾乎立刻便消失了。與此同時，他的背部感到一股非常輕、非常短暫的壓力，然後就再也沒有任何動靜。

貝萊訝異地問道：「我們在前進嗎？」

丹尼爾說：「是的。這輛車並沒有輪子，而是靠著反磁力場貼地滑行。除了加速和減速，你什麼也感覺不到。」

「轉彎的時候呢？」

「車子會自動傾斜以抵抗離心力。就連上坡或下坡的時候，車內仍然會保持水平。」

「操作起來一定很複雜吧。」貝萊硬邦邦地說。

「幾乎全自動，司機是機器人。」

「喔。」貝萊對這輛地面車總算有了充分瞭解，他又問：「這段路要走多久？」

「大約一小時。其實搭飛機會比較迅速，但我擔心你的狀況，想讓你一直處於封閉空間內，而索拉利的飛機無法提供足夠的封閉性，比不上我們目前乘坐的這種地面車。」

對方的「擔心」不禁令貝萊惱火。他覺得自己好像一個抱在保母懷中的嬰兒。奇怪的是，他對丹尼爾的遣詞用字同樣感到惱火。他覺得這麼正式的話語非但毫無必要，而且很容易洩漏他的機器人身份。

接下來好一會兒，貝萊都在好奇地凝視著機．丹尼爾．奧利瓦。這個機器人則一動不動地望著正前方，完全不在意對方的目光。

丹尼爾的皮膚完美無瑕，頭髮和汗毛也都是精心打造、細心組合的。他皮膚底下的肌肉動作更是真實無比，用不遺餘力來形容他的製造過程絕不為過。可是，貝萊有第一手的經驗，知道他的四肢和胸膛能沿著看不見的接縫裂開，以便進行修復。他還知道在亂真的皮膚底下，藏著金屬和矽氧樹脂；在金屬頭顱之中，藏著一個正子腦——雖然極其先進，仍是一堆電路而已。他更清楚丹尼爾的「思想」是什麼，那只不過是一道道壽命短暫的正子流，流過嚴密規劃的正子徑路罷了。

但如果事先並不知情，專家要如何看出破綻呢？丹尼爾的說話方式有那麼點不自然？他始終顯得嚴肅而不帶感情？他的人格完美到了無懈可擊的程度？

這種胡思亂想只會浪費時間，於是貝萊說：「我們談正事吧，丹尼爾。我猜你來這兒之前，曾經聽取過有關索拉利的簡報？」

「是的，以利亞夥伴。」

「很好，我就沒有這樣的機會。這個世界有多大？」

「直徑有九千五百英里。在本星系的三顆行星中，它是最外面的，也是唯一住人的行星。它的氣候以及大氣層都很類似地球，但可耕地的比例較高，礦藏量則較低，不過開採當然也比較少。這個世界本身就能自給自足，加上出口機器人帶來的收入，可以維持很高的生活水準。」

貝萊問：「人口有多少？」

「兩萬人，以利亞夥伴。」

貝萊聽了進去，不久又客客氣氣問道：「你是指兩千萬吧？」他對外圍世界所知不多，但至少也知道，雖然根據地球的標準，這些世界的人口個個少之又少，不過幾千萬人還是跑不掉的。

「兩萬人，以利亞夥伴。」這機器人又重複了一遍。

「你的意思是，這是個新開拓的世界？」

「絕對不是。它已經獨立了將近兩個世紀，而在此之前，它還有一個多世紀的歷史。人口維持在兩萬是故意的，索拉利人自認那是最佳的數目。」

「這些人住在這顆行星的哪些部分？」

「凡是可耕地都有人住。」

「面積有多少平方英里？」

「如果包括邊陲地帶，三千萬平方英里。」

「可是只住了兩萬人？」

「此外還有兩億左右的正子機器人，以利亞夥伴。」

「耶和華啊！那就是——平均一個人有一萬個機器人。」

「這的確是外圍世界中最高的比例，以利亞夥伴，遠超過第二名奧羅拉的一比五十。」

「他們要那麼多機器人做什麼？生產那麼多糧食又有什麼用？」

「相對而言，糧食的生產只是小宗。比較大宗的是礦產，而能源就更大宗了。」

想到這裡有那麼多機器人，貝萊不禁有點暈頭轉向。兩億個機器人！一定滿山遍野到處都是，而人類卻那麼少。如果有人從外太空觀察，或許會以為索拉利完全是個機器人世界，而忽略了起著關鍵作用的少數人類。

貝萊突然覺得有必要好好看一看。他想起了敏寧對他說的那番話，以及關於地球危機的社會學預言。雖然似乎已經很遙遠，有點不真實，但他依舊記得。離開地球之後，種種艱難險阻使得這段記憶變模糊了，但它從未全然遭到掩蓋。因此，他並未忘記敏寧曾以冷靜精準的語言，陳述這些生死攸關的問題。

多年來，貝萊受到責任感驅使，早已習慣永遠任務第一，即使可怕的開放空間也攔不住他。另一方面，無論是從太空族或太空族機器人的言談中蒐集資料，都已經是地球社會學家不難做到的事。真正需要的是直接觀察，而這正是他的工作，就算再不愉快，他也必須盡力達成。

他開始檢視地面車的頂部。「這輛車有天窗嗎？」

「抱歉，以利亞夥伴，我沒聽懂你在說什麼。」

「這輛車的頂棚能不能推開？從裡面能不能直接看到——天空？」（積習難改，他差點要說「穹頂」兩字。）

「可以的。」

「那就這麼做，丹尼爾，我想看一看。」

機器人嚴肅地回應：「很抱歉，我不能讓你這麼做。」

貝萊覺得很驚訝，說道：「聽著，機．丹尼爾。」他特別強調「機」這個字，「讓我再說一遍，我命令你打開天窗。」

不管外形多麼像人，對方畢竟是機器人，也就必須服從命令。可是丹尼爾並未採取行動，他說：「我必須說明，我的首要考量是避免你受到傷害。如果你處在一個巨大的空曠空間中，那麼根據我接到的指令，以及我的親身經驗，我很清楚你難免會受傷。因此之故，我不能允許你暴露自己。」

貝萊覺得氣血上湧，漲得他滿臉通紅，但與此同時，他也想到生氣毫無用處。對方是機器人，而貝萊對機器人學第一法則相當熟悉。

它是這麼說的：機器人不得傷害人類，或因不作為而使人類受到傷害。

在機器人的正子徑路中，其他事物都得臣服於這個最高指導原則之下——在這個銀河裡，任何一個世界的任何一個機器人都不例外。當然，機器人需要服從命令，可是不得牴觸這個至高無上的前提。服從命令只是機器人學第二法則的要求。

它是這麼說的：除非違背第一法則，機器人必須服從人類的命令。

貝萊強迫自己以平靜而理智的口吻說：「我想短時間我還能忍受，丹尼爾。」

「我並不這麼覺得，以利亞夥伴。」

「這點讓我自己判斷，丹尼爾。」

「如果這是命令，以利亞夥伴，我無法服從。」

貝萊仰靠在柔軟的座椅上開始動腦筋。當然，對付機器人不能用蠻力。丹尼爾的力氣太大了，至少是血肉之軀的一百倍，他絕對能在完全不傷人的情況下制住貝萊。

貝萊隨身帶著武器。他可以拿手銃指著丹尼爾，但這麼做只能使他暫時感到佔上風，緊接著會帶來更大的挫折感。用這種方式威脅機器人毫無用處，自保只是第三法則的要求。

它是這麼說的：在不違背第一及第二法則的情況下，機器人必須保護自己。

如果只有兩種選擇，丹尼爾寧願遭到摧毀，也絕不會違背第一法則。貝萊當然不想摧毀丹尼爾，絕對不想。

但他還是很想看看車外的景象，就像著了魔一樣，他揮不去這個念頭。他不能讓這種保母嬰兒的關係繼續發展下去。

曾有那麼片刻，他甚至想用手銃指著自己的太陽穴——你不打開天窗，我就立刻自殺——用一個更嚴重更緊急的狀況，壓制第一法則原本的作用。

但貝萊明白自己做不到。那樣太丟臉了。一想到那種畫面，他心中就起反感。

他無精打采地說：「可否請你問問司機，距離目的地還有幾英里？」

「當然沒問題，以利亞夥伴。」

丹尼爾傾身向前，按下那個按鍵。不料這時貝萊也湊向前去，大聲喊道：「司機！打開車頂的天窗！」

緊接著，一隻手——一隻人類的手——在那個按鍵上又按了一下，並堅定地擺在那裡，再也不肯鬆開。

貝萊一面微微喘氣，一面瞪著丹尼爾。

丹尼爾愣了一秒鐘，彷彿他的正子徑路為了適應這個新狀況而暫時失去平衡。但這一秒很快便過去，他的手開始有動作了。

貝萊早已預料到了。機器人的手會把人類的手從按鍵上移開（輕柔地，絕不會造成傷害），然後丹尼爾會重新啟動發話器，重新下達命令。

貝萊說：「我警告你，如果你想扳開我的手，一定會令我受傷，甚至可能扳斷我的手指。」

貝萊心知肚明，事實並非如此。但丹尼爾還是停止了動作。兩種選擇都會造成傷害，因此正子腦必須衡量兩者的機率，再轉譯成一正一反兩種電位。這就代表他會多猶豫一下子。

貝萊說：「來不及了。」

他終於贏了這場比賽。天窗正逐漸滑開，車子不再密閉，索拉利的太陽開始將刺眼的白光灌進車內。

剛開始的時候，貝萊嚇得想閉上眼睛，但他努力對抗內心的恐懼。他望見無數藍藍綠綠的光點，數量多到不可思議。他感覺得到亂風吹著自己的臉龐，除此之外，他對周遭的事物感到相當模糊。一個運動中的物體迎面衝來，可能是一個機器人、一隻動物，也可能是捲在風中的什麼東西。他無法分辨，車子開得太快了。

藍色、綠色、氣流、噪音、運動——這些都不算什麼，可是天上那顆大球，正在猛烈地、無情地、兇狠地發射出白色的光芒。

有那麼一瞬間，他重新抬起頭，向索拉利的太陽望去。他就這麼直接看，而並非像以前那樣，透過大城頂層日光浴館的漫射玻璃。現在他正望著一顆赤裸裸的太陽。

就在這個時候，他覺得丹尼爾的雙手壓向自己的雙肩。在這昏亂而不真實的一刻，他心裡同時冒出好些念頭。他必須看出去！他必須盡可能地看，而身旁的丹尼爾卻必須阻止他看下去。

不過，機器人當然不敢對人類使用暴力。這個信念凌駕了一切。丹尼爾不能強行阻止自己，偏偏貝萊覺得那雙機器手正在將自己壓下去。

貝萊舉起雙臂，正要推開那兩隻無血無肉的手掌，突然完全失去了知覺。

第三章　死者

貝萊重歸封閉空間的懷抱了。丹尼爾的臉孔在他眼前搖晃，臉上似乎有好多斑點，而當他眨眼時，那些斑點開始由黑轉紅。

貝萊問：「發生了什麼事？」

「很遺憾，」丹尼爾說：「雖然我就在你身旁，還是讓你受到了傷害。直射的陽光會損傷人類的眼睛，不過你接觸陽光的時間很短，我相信並未造成永久損傷。剛才你探頭出去的時候，我不得不把你拉下來，然後你就失去意識了。」

貝萊做了一個鬼臉。這番話並未說明他究竟是由於太過興奮（或太害怕）而自己昏倒，還是被一拳打昏的。他摸了摸下巴和頭部，不覺得有任何疼痛。他把這個問題憋在肚子裡，就某個角度而言，他並不想知道答案。

他說：「不算太糟。」

「從你的反應看來，以利亞夥伴，我斷定你並不覺得這是什麼愉快的經驗。」

「絕無此事。」貝萊倔強地反駁。眼前那些斑點正逐漸淡去，不再刺痛眼睛了。「我只覺得可惜，車子開得太快，我看到的東西太少了。我們遇到一個機器人是嗎？」

「一路上我們遇到好些機器人。我們正在穿越金堡德的屬地，它本身是一大片果園。」

「我得再試一次。」貝萊說。

「只要有我在，就絕對不准。」丹尼爾說：「還有，剛才我已經完成了你交代的事。」

「我交代的事？」

「記得吧，以利亞夥伴，你在命令司機打開天窗之前，曾經命令我問問目的地還有多遠。現在只剩十英里的路程，大約六分鐘就能抵達。」

貝萊忽然感到一股衝動，但他壓抑住了。他本想問問丹尼爾可曾因為受騙而發火，以便看看那完美的臉龐會不會不再完美。丹尼爾當然會回答沒有，而且不帶絲毫怨恨或憤怒。他一定會冷靜嚴肅如常地坐在那裡，表現得既沉著又鎮定。

貝萊心平氣和地說：「還是那句話，丹尼爾，你該知道，我必須習慣這種事。」

機器人凝視著他的人類搭檔。「你指的是什麼事？」

「耶和華啊！我是指——戶外。這個世界到處都是戶外。」

「你沒有必要面對戶外。」丹尼爾說。然後，彷彿這個問題就這麼被打發了，他又說：「我們正在減速，以利亞夥伴，想必我們已經抵達目的地了。現在我們得等一等，一旦空氣管接好，便能從車門直接走到我們的寓所，它同時也是我們這次行動的大本營。」

「沒必要接空氣管，丹尼爾。如果我得在戶外執行任務，那就不該拖延，越早讓我習慣越好。」

「你根本不必在戶外執行任務，以利亞夥伴。」機器人正要說下去，貝萊卻蠻橫地揮了揮手，示意要他閉嘴。

此時此刻，他可不想聽到丹尼爾對他做出什麼保證，或是說些安慰或安撫的話，例如一切都沒問題，他會受到妥善的照顧等等。

他真正需要的是一種內化的知識，讓他不但能照顧好自己，還能順利完成任務。他已經領教過戶外的滋味，那種感覺的確不好受。等到必須再度面對戶外時，他或許會欠缺那個膽量，因而賠上他的自尊，以及（可想而知）地球的安全。只是一片虛空罷了，竟成了難以跨越的障礙。

即使只是在腦海裡想到這一幕，他已經繃起臉來。遲早，他將面對空氣、太陽，以及那一片虛空！

以利亞．貝萊覺得自己像是來自那些小型的大城，例如赫爾辛基的觀光客，此刻正懷著敬畏的心情，細數紐約大城共有幾層。他曾經以為「寓所」就是公寓裡的一個居住單位，實際上完全不是那麼回事。他從一個房間走到另一個房間，彷彿永遠走不完。所有的廣角窗都被遮得十分嚴密，不讓任何日光滲透進來。每當他們走進一個房間，隱藏式照明便會悄悄啟動，當他們離去時，又會靜靜地熄滅。

「這麼多房間，」貝萊難掩驚奇，「這麼多，簡直像個微型的大城，丹尼爾。」

「似乎沒錯，以利亞夥伴。」丹尼爾以平靜的口吻答道。

這位地球人不禁感到奇怪。為何要讓那麼多太空族和他擠在一個屋簷下，真有這個必要嗎？

他說：「會有多少人跟我一起住在這裡？」

丹尼爾說：「當然就只有我自己，以及一些機器人。」

貝萊心想：他應該說「以及其他一些機器人」。這再度證明丹尼爾顯然打算徹頭徹尾扮演人類，即使沒有其他觀眾在場，他在熟悉內情的貝萊面前也不肯放鬆。

然後，這個想法被另一個更急迫的疑問取而代之。他大叫道：「機器人？我是問有多少人類？」

「完全沒有，以利亞夥伴。」

這時他們剛走進另一個房間，裡面從地板到天花板堆滿膠捲書。四個角落各有一台固定式閱讀鏡，其中三台設有二十四英寸的大型閱讀面板，另一台則配備著動畫螢幕。

貝萊老大不高興地四下望了望。「莫非他們把其他人通通趕走了，好讓我在這座陵墓裡孤獨地遊蕩。」

「本來就沒有別人。根據索拉利的風俗習慣，這樣的寓所一律只住一個人。」

「人人如此嗎？」

「絕無例外。」

「他們要那麼多房間做什麼？」

「索拉利人習慣每個房間只做一種用途，例如這間是圖書室。此外還有音樂室、健身房、廚房、烘焙房、餐廳、機器工場，以及修理和測試機器人的各種房間，再加上兩間臥室……」

「停！這些你怎麼通通知道？」

「這是我在離開奧羅拉之前，」丹尼爾流暢地說：「所接受的資料型樣之一。」

「耶和華啊！這麼多房間，誰來照顧呢？」他以極大的幅度揮了揮手。

「有一批管家機器人。它們奉命來照顧你，盡可能讓你住得舒服。」

「可是這些我都不需要。」貝萊說。他突然有股衝動，想要就地坐下，拒絕再走半步。他不想再看其他的房間了。

「你希望的話，我們可以留在一個房間裡，以利亞夥伴。打從一開始，他們就想到有這個可能性。話說回來，既然索拉利的風俗習慣如此，當初建造這棟房子的時候……」

「建造！」貝萊瞪大眼睛，「你是說這棟房子是為我建造的？這整座建築？特別為了我？」

「這是個徹底機器人化的社會……」

「對，我明白你要說些什麼。等到一切結束之後，他們要怎樣處理這棟房子？」

「我相信，他們會把它拆了。」

貝萊緊緊抿起嘴來。當然！該拆了它！為了一個地球人特別蓋一座宏偉的建築，不久之後，再把他碰觸過的一切通通拆掉。房子下面的泥土需要消毒！他呼吸過的空氣也得淨化！太空族或許個個身強體壯，可是他們也有不少愚蠢的恐懼。

丹尼爾似乎能看穿他的心思，或者至少能解讀他的表情。他說：「也許在你看來，以利亞夥伴，他們毀掉這棟房子是為了避免傳染。如果你真這麼想，我建議你大可不必耿耿於懷。太空族對於疾病的恐懼絕非那麼極端，只不過對他們而言，建造這棟房子簡直輕而易舉。在他們看來，再把它拆掉也並不算多大的浪費。

「而且根據法律，以利亞夥伴，它也不能成為一座永久性的建築。這裡是漢尼斯．葛魯爾的屬地，而任何屬地都只能有一棟合法的寓所，就是主人自己的家。這棟房子是為了特殊目的而在特許下興建的，它的功能就是供我們住一段特定的時間，直到我們完成任務為止。」

「漢尼斯．葛魯爾又是誰呢？」貝萊問。

「他是索拉利安全局的局長。我們抵達後，馬上就要見他。」

「是嗎？耶和華啊，丹尼爾，我什麼時候才能對周遭的一切有一點瞭解？我像是在與世隔絕的狀況下執行任務，我不喜歡這種感覺。我還不如回地球去，我還不如……」

他覺得自己越說越氣憤，趕緊就此打住。丹尼爾始終不為所動，只是在靜待說話的機會。這時他說：「我很遺憾令你感到不高興。我對索拉利的認識的確似乎強過你，但我對那樁謀殺案的瞭解和你一樣有限。葛魯爾局長會把我們需要知道的都告訴我們，索拉利政府是這麼安排的。」

「好，那麼我們就去見這位葛魯爾吧。這趟路程有多遠？」一想到又要趕路，貝萊不禁畏縮不前，胸口的壓迫感也再度出現了。

丹尼爾說：「不必再走了，以利亞夥伴，葛魯爾局長將在會談間等我們。」

「還有專供會談使用的房間？」貝萊不以為然地咕噥著。然後，他提高音量道：「他已經在等我們了？」

「我想正是如此。」

「那我們就去找他吧，丹尼爾！」

漢尼斯．葛魯爾是個不折不扣的光頭，不但頭頂禿得精光，旁邊也沒有半根頭髮——名副其實的寸髮不生。

貝萊嚥了一下口水。為了避免失禮，他試著將目光從那顆光頭移開，卻發現做不到。地球人一向根據太空族自己的標準來認定太空族：他們無疑是銀河之主，他們高大英俊，有著古銅色的皮膚和頭髮，散發著冷酷的貴族氣息。

簡言之，他們個個是機．丹尼爾．奧利瓦，然而個個都是真人。

前往地球的太空族通常都是這個模樣，或許正是由於上述原因而被挑選出來的。

可是面前這個太空族無論怎麼看都像地球人。他不但禿，而且鼻子有點歪。雖然並不嚴重，但對太空族而言，即使一點點不對稱都會很顯眼。

貝萊開口道：「午安，局長。很抱歉，不知有沒有讓你久等。」

禮多人不怪。他還需要和這些人共事呢。他忽然有個衝動，想要大步走到房間另一頭（這房間實在太大了），向對方伸出右手。這個衝動倒是不難壓下去。太空族當然不會歡迎這種握手禮，想想看，一隻沾滿地球細菌的手？

葛魯爾嚴肅地坐在那兒，盡可能離貝萊越遠越好。他的雙手藏在長長的袖子裡，他的鼻孔或許還插著濾器，只不過貝萊看不見而已。

貝萊甚至覺得葛魯爾對丹尼爾投以不以為然的眼光，彷彿在說：你這個奇怪的太空族，居然跟一個地球人站得那麼近。

這就代表葛魯爾根本不知道真相。然後，貝萊突然注意到丹尼爾因此站開了些，兩人的距離比平常遠了幾步。

當然啦！如果站得太近，會令葛魯爾覺得不可思議。丹尼爾早已打定主意要冒充人類。

葛魯爾說：「我並沒有等多久。兩位，歡迎來到索拉利。你們覺得一切都好嗎？」他的聲音愉悅而友善，但他的目光總是偷偷停在丹尼爾身上；每次移開之後，不久又會飄回來。

「相當好，局長。」貝萊說。他曾經想到，是不是讓「太空族」丹尼爾代表他倆發言才符合禮數，最後把這個顧慮憒憒地抛在腦後了。耶和華啊！受邀前來辦案的是他自己，丹尼爾是後來才加入的。在這種情況下，即使他的搭檔是真正的太空族，貝萊也覺得不必自我矮化；機器人當然更不用說了，就算這個機器人是丹尼爾也一樣。

但丹尼爾並未試圖搶在貝萊前面說話，葛魯爾也並未顯得驚訝或不悅。反之，他立刻把注意力集中在貝萊身上，再也不看丹尼爾了。

葛魯爾說：「關於我們請你來偵辦的這件案子，便衣刑警貝萊，目前為止你還一無所知。這到底是為什麼，我想你一定相當納悶。」他將衣袖向後一甩，雙手輕輕握拳放在膝蓋上。「兩位怎麼不坐呢？」

坐下之後，貝萊說：「我們的確納悶。」他注意到葛魯爾並未戴著手套保護雙手。

葛魯爾繼續說：「便衣刑警，那是故意的。我們不希望你有任何先入為主的想法，我們希望你來到此地後，能夠不帶任何成見地面對這個難題。你很快會拿到一份關於這個案子的完整報告，包括目前為止我們所進行的一切調查。不過，便衣刑警，只怕從你的經驗看來，會覺得我們的調查草率得近乎荒唐。在索拉利，根本沒有警察部門。」

「完全沒有嗎？」貝萊問。

葛魯爾微微一笑，還聳了聳肩。「沒人犯罪，懂了吧。我們這個世界地廣人稀，根本沒有犯罪的機會，因此警察毫無用武之地。」

「我懂了。但即便如此，終究還是有人犯罪了。」

「沒錯，這還是兩個世紀以來，頭一樁的暴力犯罪。」

「真不幸，頭一樁竟然就是謀殺案。」

「的確不幸。而更不幸的是，死者是一位不可或缺的重要人物。他可以說是最死不得的死者。而且，這樁謀殺案的手法還特別殘暴。」

貝萊說：「我猜目前還完全沒有兇手的線索。」（否則，為何還得從地球進口警探呢？）

葛魯爾顯得極其不安。他轉頭瞥了丹尼爾一眼，後者正一動不動坐在那裡，形同一個在默默觀察和記錄的機器。貝萊很清楚，凡是丹尼爾聽過的對話，無論多長多短，事後他都隨時能夠原音重現。就這方面而言，他無異於一台人形的錄音機器。

葛魯爾知道這件事嗎？他望向丹尼爾的目光當然帶有懷疑的成分。

葛魯爾說：「不，不能說完全沒有兇手的線索。事實上，有可能做到這件事的只有一個人而已。」

「你確定自己是這個意思，而不是有嫌疑的只有一個人而已？」貝萊一向不信任斬釘截鐵的說法，對於光靠邏輯便咬定兇手的安樂椅神探更是敬而遠之。

但是葛魯爾搖了搖他的光頭。「不，只有一個人有可能是兇手。其他人都不可能，百分之百不可能。」

「百分之百？」

「我向你保證。」

「那麼這就不是什麼難題。」

「正好相反，我們的確碰到了難題。那個人同樣不可能犯案。」

貝萊心平氣和地說：「那就沒有兇手了。」

「可是的確有謀殺案。瑞坎恩・德拉瑪被殺了。」

線索來了，貝萊心想，耶和華啊，總算有點線索了，我聽到了死者的名字。

他掏出筆記本，開始一本正經地做起筆記。這可算是一種無言的抗議，表示自己直到如今才總算撿到一點點事實，此外也是因為自己身邊坐著一台錄音機，他不希望把這個事實表現得太明顯。

他問：「死者的名字是哪幾個字？」

葛魯爾回答了。

「他的職業呢，局長？」

「胎兒學家。」

貝萊根據猜測寫下這四個字，便將這個問題擱在一旁。他又問：「好，有誰能告訴我兇案現場的實際情況？要盡可能是第一手資料。」

葛魯爾露出陰森的笑容，他又朝丹尼爾瞄了一眼，隨即收回目光。「這得問他的妻子了，便衣。」

「他的妻子……？」

「是的，她叫作嘉蒂雅。」葛魯爾說明了是哪三個字。

「有任何子女嗎？」貝萊的目光並未離開筆記本。良久等不到答案，他才抬起頭來。「有任何子女嗎？」

沒想到葛魯爾一直噘著嘴，彷彿吃到什麼很酸的東西，甚至臉色也很差。最後他終於說：「我不太可能知道。」

貝萊驚呼：「什麼？」

葛魯爾連忙補充道：「總之，我認為你最好等到明天再展開實際行動。我知道你一路上很辛苦，貝萊先生，你現在不但累了，或許肚子也餓了。」

貝萊正準備否認，突然發覺吃飯這個念頭對自己有著異常的吸引力。他說：「你會跟我們一起用餐嗎？」他並未指望葛魯爾這個太空族做出肯定的答覆（但對方已經從「便衣刑警」改口為「貝萊先生」，算是很大的進展了）。

不出所料，葛魯爾答道：「很抱歉，我另有公事，不能再奉陪了。」

貝萊隨即起身。基於禮貌，他應該把葛魯爾送到門口才對。然而，一來他實在不想接近毫無遮掩的開放空間，二來也不確定大門到底在哪裡。

他不知所措地站在原地。

葛魯爾微微一笑，點了點頭。「我們改天見。如果你想聯絡我，你的機器人個個都知道我的號碼。」

然後他就消失了。

貝萊立刻失聲驚叫。

葛魯爾和他的椅子就這麼不見了。而且猛然間，他背後的牆壁和他腳下的地板也都變了樣。

丹尼爾平靜地說：「他的肉身本來就不在這裡，那只是個三維影像。我以為你應該知道，地球上也有這種東西。」

「跟這個不一樣。」貝萊咕噥道。

地球上的那些三維影像，一律局限在邊緣閃閃發亮的立方力場中，而且影像本身也會微微閃爍。在地球上，你絕不會把影像當成真的。而在這兒……

怪不得葛魯爾沒有戴手套，而且也不需要鼻孔濾器。

丹尼爾說：「你現在想吃飯了嗎，以利亞夥伴？」

不料這頓飯竟然是天大的折磨。有許多機器人出現在餐廳中，一個布置餐桌，另一個端來食物……

「這房子裡到底有多少機器人，丹尼爾？」貝萊問。

「大約五十個，以利亞夥伴。」

「我們吃飯時，它們還會留在這兒嗎？」（其中一個已經退到角落，他的金屬臉孔轉到貝萊這邊，雙眼還發出紅光。）

「它們通常都會的，」丹尼爾說：「以便隨時聽候召喚。如果你不希望這樣，只要命令它們離開就行了。」

貝萊聳了聳肩。「讓這個留下來吧！」

若是在正常情況下，貝萊或許會覺得這些食物很可口。現在他卻只是機械式地把食物送進嘴裡。不知不覺間，他注意到丹尼爾也在吃，而且動作不疾不徐。當然，稍後他會把現在吃進氟碳胃囊的食物清理出來。但此時此刻，丹尼爾裝得有模有樣。

「外面天黑了嗎？」貝萊問。

「是的。」丹尼爾答道。

貝萊躺在床上，悶悶不樂地睜著眼睛。床鋪太大了，整個臥室都太大了。沒有毛毯能讓他鑽進去；只有薄薄的被單，不能提供完善的遮蔽。

每件事都不簡單！剛才，他在鄰接臥室的淋浴間心驚膽跳地沖了一個澡。就某方面而言，這是極度奢華的享受，可是另一方面，這種建築規劃似乎並不符合衛生。

他突然問：「燈要怎麼關掉？」床頭板射出了柔和的光線，或許是為睡前閱讀提供照明之用，但貝萊可沒有那個心情。

「一旦你躺在床上準備入睡，它就會被關上。」

「有機器人在監看，對不對？」

「那是他們的工作。」

「耶和華啊！這些索拉利人自己什麼都不做嗎？」貝萊喃喃道，「現在我有點納悶，剛才沖澡的時候，怎麼沒有機器人來替我刷背？」

丹尼爾絲毫不像開玩笑地說：「你只要提出要求，它們一定做到。至於索拉利人，他們愛做什麼就做什麼。機器人只會奉命行事，你不叫它們做，它們就不會做，當然，牽涉到人類的安全福祉則另當別論。」

「好吧，晚安，丹尼爾。」

「我會在另一間臥室，以利亞夥伴。半夜無論任何時候，你若需要任何東西……」

「我知道，會有機器人來。」

「床頭櫃上有個觸控片，你只要碰一下，我也會馬上到。」

貝萊無法入睡。他腦海中一直浮現著這棟房子的外貌，它顫顫巍巍地貼在這個世界的表面，周遭盤旋著一隻名叫虛空的怪獸。

回想在地球上，他家的公寓——那棟溫暖、舒適、擁擠的公寓——安安穩穩地建在許多公寓之下。在他自己和地球表面之間，還有幾十層空間和成千上萬的人類。

他試著說服自己，即使在地球上，還是有人住在最頂層。那些人和戶外僅有一線之隔。絕對是這樣！但正因為如此，那些公寓的租金才那麼低廉。

然後他想到了潔西，此時她至少在一千光年之外。

他萬分渴望能立刻跳起來，穿好衣服，一路向她走去。他的意識逐漸朦朧了。如果有一條隧道該多好，一條完善安全的隧道，挖穿無數既安全又堅固的岩石和金屬，從索拉利一路延伸到地球。他會一直走啊走啊走啊……

他會徒步走回地球，回到潔西身邊，回到舒適和安全的……

安全！

貝萊睜開眼睛，感到手臂有點僵硬，而在不知不覺間，他已經用手肘撐起上半身。

安全！今天那個官員，漢尼斯．葛魯爾，正是安全局的局長，至少丹尼爾是這麼說的。這個「安全」是什麼意思呢？如果這兩個字的意思和地球上的用法一樣，這個葛魯爾的職責就是保護索拉利不受內亂外患的侵擾。

一宗謀殺案為何會引起他的興趣？難道是因為索拉利沒有任何警力，於是安全局成了最懂得處理謀殺案的機關？

葛魯爾似乎對貝萊毫無戒心，可是，他卻一而再、再而三偷偷打量丹尼爾。

莫非葛魯爾懷疑丹尼爾的動機不單純？貝萊自己曾奉命張大眼睛，丹尼爾很有可能也接到了類似的指令。

葛魯爾自然會懷疑這類間諜行動的可能性。他的職責就是要處處疑神疑鬼。但他並不需要多麼擔心貝萊，貝萊只是地球人，而地球是全銀河最不必擔心的一個世界。

然而丹尼爾來自奧羅拉，它不但是外圍世界中最古老，也是最大最強的一員。那可就另當別論了。

貝萊現在想起來，葛魯爾未曾對丹尼爾說過一句話。

還是那個老問題，丹尼爾為何那麼積極地偽裝成人類？貝萊先前對自己提出的解釋——丹尼爾的設計者在玩一場虛榮遊戲——只怕太簡單了。現在看來，丹尼爾的偽裝有著更嚴肅的原因。

人類能享有外交豁免權，以及若干禮遇和款待，機器人則否。問題是，奧羅拉何不乾脆派個真人來呢？為什麼要不顧一切作假呢？貝萊心中立刻冒出了答案：一個真正的奧羅拉人，一個真正的太空族，不會願意和一名地球人合作得太久，或是太密切。

但如果這些都是事實，索拉利又為何把一樁謀殺案看得那麼重要，不得不容忍一個地球人和一個奧羅拉人來到他們的世界？

貝萊覺得陷入重重困境。

他的任務將他困在索拉利上。地球的危難又進一步困住他，令他陷在一個自己幾乎無法忍受的環境中，以及一個他義不容辭的責任裡。不過更糟的是，他還困在一場自己完全不瞭解的太空族衝突中。

第四章　女子

他終於睡著了。他並不記得是什麼時候真正進入夢鄉的。唯一的印象就是自己的思緒曾經飄忽了一陣子，然後，床頭板就亮了起來，天花板則發出白晝般的冷光。他看了看手錶。原來已經過了好幾小時。管理這棟房子的機器人認定他該起床了，因而採取了行動。

他想，不知丹尼爾是否也醒了，隨即領悟到這是不合邏輯的想法。丹尼爾並不能睡覺，於是貝萊又想，不知丹尼爾的偽裝是否包括假裝入睡在內。他是否換上了一身睡衣？

無巧不巧，丹尼爾這時剛好走進來。「早安，以利亞夥伴。」

這機器人穿戴得整整齊齊，而且一臉安詳平靜。他問：「你睡得好嗎？」

「還好，」貝萊淡淡地說：「你呢？」

他下了床，拖著沉重的步伐走進浴室，正準備進行清晨的例行盥洗，忽然叫道：「如果有機器人要來幫我刮臉，你把它趕走。它們令我緊張，即使不在我眼前，它們還是會令我緊張。」

他一面刮臉，一面審視自己的臉龐──和在地球上照鏡子沒什麼差別，不禁令他有點詫異。如果鏡中人並非自己的光影幻象，而是能跟他討論案情的另一個地球人該多好。如果能將已經查到的事仔細說一遍，雖然沒多少……

「太少了！繼續查。」他對著鏡子喃喃道。

他走出浴室，擦了一把臉，然後在新內褲外面套上長褲（機器人把一切都準備好了，真他媽的）。

他說：「請你回答我幾個問題好嗎，丹尼爾？」

「你該知道，以利亞夥伴，我一定盡我所知回答任何問題。」

或是根據你的指令來回答，貝萊這麼想。「為什麼索拉利只有兩萬人？」他開始發問。

「這只不過是個事實，」丹尼爾說：「是個數據罷了。換句話說，只是一個統計結果而已。」

「沒錯，但你是在迴避問題。這顆行星至少能容納幾百萬人，所以說，為何只有兩萬呢？你曾說索拉利人認為兩萬是最佳的數目，這又是為什麼？」

「這是他們的生活方式。」

「你的意思是，他們在進行生育控制？」

「對。」

「故意讓這顆行星空空蕩蕩？」貝萊並不確定自己為何緊咬著這個問題不放，不過，索拉利的人口數是他獲悉的少數事實之一，除此之外，他實在問不出什麼了。

丹尼爾說：「這顆行星並非空空蕩蕩。它劃分成許多屬地，每塊屬地由一位索拉利人監管。」

「你是說索拉利人個個住在自己的屬地上。兩萬塊屬地，上面各有一個索拉利人。」

「並沒有那麼多，以利亞夥伴，夫妻共享一塊屬地。」

「沒有任何大城？」貝萊覺得一股寒意。

「完全沒有，以利亞夥伴。他們過著百分之百的獨居生活，除非有極不尋常的情況，彼此甚至從不碰面。」

「一群隱士？」

「可以說是，也可以說不是。」

「這又是什麼意思？」

「葛魯爾局長昨天是以三維影像和你見面。索拉利人彼此之間隨時可以這麼做，這也是他們唯一的見面方式。」

貝萊凝視著丹尼爾，問道：「我們也受這個規範？我們也得這樣行事嗎？」

「這個世界的風俗習慣就是如此。」

「那麼我要如何調查這件案子？如果我想見某個人……」

「在這棟房子裡，以利亞夥伴，你能和這顆行星上任何一個人取得三維顯像聯繫。不會有任何問題。事實上，這還能讓你不必硬著頭皮離開這棟房子。所以昨天剛到的時候，我才會說你根本不必試著適應戶外。這樣很好，其他的辦法你都會吃不消。」

「吃不吃得消，我自己說了算。」貝萊說：「我今天的第一件工作，丹尼爾，是要聯絡那位名叫嘉蒂雅的女子，也就是死者的妻子。如果這個三維的玩意兒不盡理想，我就要親自登門造訪。這件事完全由我決定。」

「我們不妨看看怎麼做最好也最可行，以利亞夥伴。」丹尼爾不置可否地說：「我這就去安排早餐。」說完他便轉身離去。

貝萊望著機器人寬闊的背部，覺得又好氣又好笑。丹尼爾．奧利瓦在反串主人的角色。如果他的任務是阻撓貝萊獲悉案情之外的任何事物，貝萊手中仍有一張王牌可打。

畢竟，對方其實只是機．丹尼爾．奧利瓦。貝萊唯一需要做的，就是告訴葛魯爾（或任何索拉利人）丹尼爾並非人類，而是一個機器人。

但另一方面，丹尼爾的假身份也可能有極大的用處。這張王牌不必急著打，有時王牌握在手中會更有用。

靜觀其變吧，想到這裡，他便跟著丹尼爾去餐廳了。

貝萊問道：「我們要如何建立三維聯繫呢？」

「不必我們親自動手，以利亞夥伴。」丹尼爾伸出手，按向一個召喚機器人的觸控片。

立刻進來一個機器人。

貝萊想不通它們是從哪裡來的。當他在這個杳無人煙的迷宮胡亂遊蕩之際，眼前從未出現任何機器人。是否每當人類靠近，它們便會倉皇而逃？是否它們一直互通訊息，以便清出一條路給人類？

但無論你何時發出召喚，總有機器人在第一時間出現。

貝萊審視著這個機器人。它擁有光滑卻並不閃亮的外殼，全身塗著一層暗灰色塗料，只有右肩那個類似棋盤方格的肩章有點色彩。那些方格黃白相間（實際上是有著金屬光芒的金色和銀色），但似乎沒有任何規律。

丹尼爾說：「帶我們去會談間。」

機器人一鞠躬，馬上向後轉，一句話也沒說。

貝萊喚道：「等等，小子，你叫什麼名字？」

機器人轉向貝萊，口齒清晰且毫不猶豫地答道：「主人，我沒有名字，我的序號是——」它將一根金屬手指按在肩章上，「ACX二七四五。」

丹尼爾和貝萊跟著它走進一個大房間。貝萊認出這裡正是葛魯爾昨天現身的地方。已經有個機器人等在裡面了，身為機器的一員，它有著無比的耐心，絲毫沒有不耐煩的樣子。先前那個機器人隨即鞠躬告退。

貝萊趁著這個機會，把兩個機器人的肩章比較了一下。兩者的金銀相間圖樣並不一樣。這種「棋盤」長寬各有六個方格，可能的組合共有二的三十六次方，也就是七百多億種。怎麼用也用不完。

貝萊說：「顯然，每件事由一個機器人負責。一個領我們到這兒，另一個開啟顯像儀。」

丹尼爾說：「索拉利的機器人分工分得很細，以利亞夥伴。」

「既然數量那麼多，並不難理解。」貝萊望向這個後來出現的機器人，除了肩章（以及鉑銥合金大腦中的無形正子型樣）之外，它簡直就是先前那個的複製品。「你的序號呢？」他問。

「回主人，ACC一一二九。」

「我還是叫你小子吧。聽著，我要聯絡嘉蒂雅．德拉瑪夫人，也就是已故的瑞坎恩．德拉瑪的妻子——丹尼爾，有沒有什麼地址之類的東西，能標示出她的所在地？」

丹尼爾輕聲道：「我想並不需要進一步的資料。讓我問問這個機器人……」

「我來問吧，」貝萊說：「好啦，小子，你知不知道怎麼聯絡那位女士？」

「知道，主人。我腦中擁有每一位主人的聯絡碼。」這句話聽不出一絲驕傲的口氣。它只是在陳述一件事實，就好像在說：我是金屬之軀，主人。

丹尼爾插嘴道：「這沒什麼好驚訝的，以利亞夥伴。總共不到一萬個聯絡碼，這麼一點點資料，很容易灌入記憶電路中。」

貝萊點了點頭。「有沒有可能不止一個嘉蒂雅．德拉瑪？如果有，就可能搞錯。」

「主人？」反問一句之後，機器人陷入全然的沉默。

「我想，」丹尼爾說：「這個機器人並不瞭解你的問題。我相信在索拉利上，並不存在同名同姓的情況。每個人的名字都是一出生就登記了，如果正巧有人在用這個名字，就不會獲准重複使用。」

「很好。」貝萊說：「我們時時刻刻都會學到新東西。現在聽好，小子，不管需要使用什麼儀器或裝置，反正你負責把我教會，再把你說的那個什麼聯絡碼告訴我，然後站到一邊去。」

機器人在回答之前頓了好一陣子，最後才說：「你是不是想自己進行聯絡，主人？」

「是的。」

丹尼爾輕輕碰了碰貝萊的衣袖。「且慢，以利亞夥伴。」

「又怎麼了？」

「如果由這個機器人聯絡，我相信會簡單得多。這是它的專長。」

貝萊繃著臉說：「我確定他能做得比我好。由我自己動手，可能弄得一團糟。」他直勾勾地瞪著面無表情的丹尼爾，「話說回來，我還是寧可自己聯絡。這裡到底是不是由我發號施令？」

丹尼爾說：「當然由你發號施令，以利亞夥伴，只要不違背第一法則，我們都會服從你的命令。然而你若允許，我想提供一些關於索拉利機器人的客觀資料。在索拉利，機器人的分工程度遠超過其他世界。雖然實際上，索拉利機器人個個多才多藝，可是在心理上，它們只認定一件特殊的工作。想要它們發揮專長外的功能，就得藉由三大法則直接提供一個高電位。同理，想要它們不做自己專長的工作，同樣需要直接訴諸三大法則。」

「這麼說的話，我的直接命令應該能啟動第二法則了，對不對？」

「沒錯。可是對機器人而言，這樣的電位是『不愉快的』。這種情形一般來說並不會發生，因為索拉利人幾乎不會干涉機器人的日常工作。一來，他們沒興趣幹機器人的活；二來，他們不覺得有這個必要。」

「你是要試著告訴我，丹尼爾，如果我搶著做它的工作，會傷害到這個機器人？」

「你也知道，以利亞夥伴，在機器人的諸多反應中，並不包括人類所謂的痛苦。」

貝萊聳了聳肩。「所以呢？」

「即便如此，」丹尼爾繼續說：「據我所知，這種不愉快的經驗，和人類所體驗的痛苦不相上下。」

「可是，」貝萊說：「我並非索拉利人，而是地球人。凡是我想做的事，我不喜歡由機器人代勞。」

「還有一點，」丹尼爾說：「如果一個機器人被我們弄得痛苦不堪，我們的主人可能會覺得這是失禮的行為。在一個像這樣的社會，對於人類該如何對待機器人，想必或多或少有些根深柢固的信念。得罪我們的主人，對我們的工作絕無幫助。」

「好吧，」貝萊說：「就讓這個機器人幹它的活吧。」

他退到了一旁。這個小插曲並不算浪費時間，它讓貝萊體會到了機器人化的社會有多麼冷酷。機器人一旦加入人類，就不容易把它們請走了。人類即使只是想要暫時擺脫它們，也會發現根本做不到。

貝萊半閉著眼睛，望著機器人朝那面牆走去。剛才這件事背後的意義，讓地球的社會學家去慢慢研究吧。至於貝萊，他開始有些自己的想法了。

那面牆滑開了一半，露出好大一片控制面板，用來控制大城一個區的電力站也綽綽有餘了。

貝萊萬分想念他的菸斗。出發之前，他已被告知索拉利是個禁菸的世界，抽菸乃是大逆不道的行為，所以他的抽菸工具必須留在地球上。想到這裡，他嘆了一口氣。如果現在能將菸斗緊緊咬在嘴裡，或是握在手中感受它的微溫，不知會帶來多大的安慰。

那機器人動作迅速地調整了好些變阻器，並以快速和精準的動作將力場逐漸升高。

丹尼爾說：「想要進行顯像聯繫，首先必須發訊號給對方。當然，接收訊號的也是機器人。如果對方有空，願意接收顯像，就能啟動完整的影音聯繫了。」

「真的需要那麼多控制裝置嗎？」貝萊問，「機器人幾乎沒有摸到控制面板。」

「這方面的資料我掌握得並不完整，以利亞夥伴。然而，我知道在某些情況下，有必要安排多方顯像或行動式顯像。尤其是後者，特別需要不斷進行繁複的調整。」

機器人說：「主人，聯繫已經獲准。一旦你準備好，就可以顯像了。」

「準備好了。」貝萊大吼道。這幾個字彷彿一道指令，房間的另一半隨即亮了起來。

丹尼爾馬上說：「我忘了讓機器人交代對方，凡是接觸戶外的門窗都得遮起來。這是我的疏忽，我們得趕快……」

「沒關係，」貝萊咬著牙說：「我能應付。你退下吧。」

出現在他眼前的是一間浴室，或者應該說，那是他根據房間的樣子所做的猜測。其中一角看起來是一座完善的化妝台，於是他腦海中浮現一個畫面，有一個（或好幾個？）機器人正以準確迅速的動作，替一位女士梳頭髮並打理門面，好讓她以最美麗的形象出現在外人面前。

此外還有一些裝置和陳設，但他根本懶得猜了。除非在此地生活過一段時間，否則無從知曉它們的用途。牆壁上鑲嵌著一組繁複的圖樣，乍看之下幾乎令人相信那是一幅寫實畫，多看兩眼才能確定其實只是抽象的圖案。由於它太過吸引目光，造成一種讓人心神寧靜甚至近乎催眠的效果。

另一個角落可能是個很大的淋浴間，它並沒有任何實質障蔽，而是利用光學魔術築起一道不透明的圍牆。放眼望去，看不到一個人。

貝萊將視線移到地板上。哪裡是會談間的終點和那個浴室的起點呢？這倒不難分辨。有一條直線劃分出兩種不同的光線，一定就是那裡。

他朝那條直線走去，猶豫一下之後，將右手伸到了對面。什麼感覺也沒有，就像將手伸進地球的原始三維影像之中。不過，在地球上這麼做的時候，他至少還能看到自己的手；或許有點模糊，而且和影像重疊，但終究看得見。而現在，那隻手完全消失無蹤。在他眼中看來，自己的手無異於被齊腕切掉了。

假使他整個人跨過那條線，又會如何呢？或許他的視覺將無法運作，令他陷入一個完全黑暗的環境中。這種徹頭徹尾的封閉是一種愉快的聯想。

突然響起一個聲音。他抬起頭來，有點狼狽地趕緊退了幾步。

嘉蒂雅・德拉瑪出現了，至少可以說貝萊假設那就是她。淋浴間的那道光牆矮了一截，露出她的頭來。

她對貝萊微微一笑。「我在跟你打招呼。抱歉讓你久等，我很快就會乾了。」

她有一張瓜子臉，顴骨處雖然有點寬（微笑時顴骨更明顯），但逐漸往下收攏，最後在豐唇之下是個尖尖的下巴。根據她的頭部位置，貝萊判斷她的個子並不高，大概五尺二吧。（這並非標準身高，至少貝萊認為並不標準。太空族女子應該更高、更有威嚴才對。）她的頭髮也並非太空族特有的古銅色，而是偏黃的淡棕色。這時，那一頭長髮正在四散紛飛，貝萊不難想像那是被一股熱風吹的。整體而言，這個畫面相當賞心悅目。

貝萊有點不知所措地說：「或許你想暫時切斷聯繫，先把你……」

「喔，不必。我快好了，我們現在就可以開始談。漢尼斯・葛魯爾說你會透過顯像找我。我知道，你是從地球來的。」她雙眼緊盯著他，像是要徹底打量他一番。

貝萊點了點頭，坐了下來。「我的搭檔來自奧羅拉。」

她微微笑了笑，目光隨即又鎖定貝萊，彷彿只有他才是難得一見的稀世奇珍。貝萊心想，當然這也沒錯。

她將雙手高舉，不停用手指梳理著頭髮，似乎是要加快吹乾的速度。她的雙臂纖細而雅緻，非常吸引人，貝萊心中這麼想。

但他隨即不安地想到：潔西會不高興的。

丹尼爾的聲音在耳畔響起：「德拉瑪夫人，可否請你把我們看到的那扇窗戶極化或遮起來？日光會讓我的搭檔心神不寧。你或許也聽說過，在地球上……」

那年輕女子（貝萊猜她大概二十五歲，隨即酸溜溜地想到，光憑外表根本無法判斷太空族的年齡）雙手捧住臉頰，說道：「啊，糟糕。我的確聽說過。怎麼我會這麼笨呢。請原諒，我立刻改善。我馬上找個機器人來……」

她踏出淋浴間，一面伸手按向觸控片，一面抱怨道：「我一直想在這個房間多裝幾個觸控片。一棟好房子，應該無論你站在哪裡，觸控片都伸手可及——我現在卻得走上五英尺，這簡直——咦，怎麼回事？」

她滿臉驚訝地望著貝萊，這時他已經跳起來，匆忙地別過頭去，不但撞倒了椅子，而且滿臉漲得通紅。

丹尼爾心平氣和地說：「德拉瑪夫人，在你召喚機器人之後，最好立刻回淋浴間，如果你不想那麼做，請在身上披兩件衣服吧。」

嘉蒂雅愣了一下，這才望著自己一絲不掛的身體說：「喔，當然好。」

第五章　案情

「你該知道，這只是顯像啊。」嘉蒂雅的聲音中帶著歉意。現在她裹著一件浴袍似的衣物，手臂和肩膀仍舊露在外面，一隻腿也只遮了一小部分，但貝萊卻視若無睹——他早已完全恢復鎮定，覺得剛才的反應實在太蠢了。

他說：「我只是吃了一驚，德拉瑪夫人……」

「喔，拜託，你可以叫我嘉蒂雅，除非——除非這有違你們的習俗。」

「好吧，嘉蒂雅。你別擔心，我只是想要告訴你，我絕對沒有起任何反感，你瞭解吧。我只是吃驚而已。」自己的愚蠢反應已經夠糟了，他想，可別再讓這個可憐女子以為自己討厭她。他當然不會起反感，其實……其實……

唉，他不知道該怎麼說，但他相當確定自己絕對無法把這件事告訴潔西。

「我知道我冒犯了你，」嘉蒂雅說：「但我並非故意的，我只是沒想到而已。我當然瞭解人人都應該顧慮到其他世界的習俗，可是有些習俗實在太古怪了。不，不是古怪，」她趕緊更正，「我不是指古怪，而是指陌生，你知道吧，所以很容易忽略，就好像我忘記要調暗窗戶一樣。」

「真的沒關係，」貝萊喃喃道。這時她已來到另一個房間，那裡每扇窗戶都拉上了窗簾，其中的光線有點人工化，帶有舒適且和自然光略微不同的質理。

「可是另一方面，」她一本正經地說：「要知道，這只是顯像罷了。畢竟，剛才我在淋浴間的時候，同樣沒穿任何衣服，但你並不介意和我說話。」

「這個嘛，」貝萊希望她能盡快結束這個話題，「聽見你的聲音沒什麼，看見你卻另當別論。」

「你剛好說到了重點。你根本就沒有看見我。」她有點臉紅，低下了頭去。「你可千萬別以為我真會那麼做，我的意思是，如果有人在看我，我還會這樣走出淋浴間。這只是顯像罷了。」

「難道不是一回事嗎？」貝萊說。

「絕對不是一回事。你現在只是看到我的顯像，你不能碰到我，也不能聞到我，對不對？如果你真正看到我，就能做到這些事了。此時此刻，我離你至少有兩百英里遠。所以怎麼會是一回事呢？」

貝萊漸漸感到有趣了。「但我能用眼睛看到你。」

「不，你不能看到我，你只能看到我的顯像。」

「有什麼差別嗎？」

「簡直就是天差地遠。」

「我懂了。」他這麼說並不算敷衍。兩者的微妙區別雖然有些費解，但其中的確自有道理。

她把頭稍微偏向一側。「你真的懂了嗎？」

「真的。」

「這是否意味著你並不介意我現在脫掉浴袍？」她微微一笑。

他心想：她在挑逗我，我應該好好跟她較量較量。然而，他只是大聲說：「不，那會令我分心。我們改天再試試吧。」

「那麼，你介不介意我繼續裹著浴袍，不換上正式服裝？我是說真的。」

「我不介意。」

「我能不能直接叫你的名字？」

「只要你覺得有此必要。」

「你叫什麼名字？」

「以利亞。」

「很好。」她舒舒服服地坐進椅子裡，那張椅子看起來硬邦邦的，幾乎像是陶瓷做的，但她一坐上去，椅面就逐漸下陷，最後將她整個包住。

貝萊說：「現在談正事吧。」

她答道：「好，談正事。」

貝萊突然覺得困難無比，甚至不知該如何開口。若是在地球上，他會詢問姓名、階級、住所，以及幾百萬個例行問題。開頭的一些問題，他甚至早已知道答案，但這是進入正式問答的跳板——一來讓對方熟悉他這個人，二來幫助他決定偵訊的策略，避免僅僅根據直覺來發問。

可是現在呢？他如何能確定任何一件事？光是「看」這個動詞，他和這名女子就有不同的解讀。還有多少詞彙有著不同的意義？在他毫不知情的情況下，每天會發生多少次類似的誤解？

他終於開始發問：「你結婚多久了，嘉蒂雅？」

「十年了，以利亞。」

「你今年幾歲？」

「三十三。」

貝萊隱約有點竊喜。她很可能已經一百三十三歲了。

他又問：「你的婚姻幸福嗎？」

嘉蒂雅露出不安的表情。「你這是什麼意思？」

「嗯——」貝萊一時詞窮了。一樁幸福的婚姻要如何定義呢？或者應該說，索拉利人認為怎樣的婚姻才算幸福呢？最後他說：「嗯，你們彼此經常見面？」

「什麼？好在答案是否定的。要知道，我們又不是動物。」

貝萊心頭一凜。「你們的確住在同一座宅邸吧？我以為……」

「我們結了婚，當然住在一起。但我們各有各的住處。他的事業非常重要，佔用了他很多時間，而我也有自己的工作。有需要的時候，我們就以顯像聯絡。」

「他常見到你，對不對？」

「這是不該談論的問題，但的確如此。」

「你們有子女嗎？」

嘉蒂雅猛然跳了起來，顯得萬分激動。「這太過分了，這是最下流的……」

「慢著，慢著！」貝萊用力搥了一下座椅扶手，「別這樣為難我。我是在調查一樁謀殺案，你瞭解嗎？謀殺案，而死者正是你的丈夫。你到底想不想見到兇手落網，接受法律的制裁？」

「那就問有關謀殺案的問題，別問……別問……」

「我得問各式各樣的問題。比方說，我想知道你是否對他的死感到難過。」他刻意惡毒地加上一句：「你看起來並不難過。」

她以傲慢的目光瞪著他。「不管誰死了，我都會難過，更何況他是個年輕有為的人。」

「既然他是你的丈夫，你的難過難道不會更多一點嗎？」

「他是被指派給我的。好吧，我們的確按時見面，不過……不過……」接下來她說得很快，「不過，如果你一定要知道，那麼我們並沒有子女，因為我們尚未領到配額。我不懂，這些事和我現在難不難過有什麼關係？」

也許完全沒有關係，貝萊心想。這取決於社會習俗，而他對這方面並不熟悉。

於是他改變話題：「據我所知，你對這樁謀殺案有第一手的資料。」

她似乎突然繃緊了神經。「是我……是我發現的屍體。我這麼說對不對？」

「所以說，你並未真正目擊兇案的過程？」

「喔，沒有。」她壓低了聲音。

「好吧，請把當天的經過告訴我。你可以慢慢說，盡量用你自己的詞彙。」他靠向椅背，準備洗耳恭聽。

她說：「那是五時三二……」

「銀河標準時間是什麼時候？」貝萊立刻追問。

「我不確定。我真的不知道。但我想你可以查到。」

她的聲音似乎有些顫抖，眼睛則張得很大。他注意到她的眼珠太偏灰色，並不能稱為藍眼珠。

她繼續說：「那天他來我的住處。那是我們的見面日，我知道他會來。」

「他總是在見面日來找你嗎？」

「對啊。他是非常認真負責的人，是個優秀的索拉利公民。他從未錯過任何見面日，而且總是準時抵達。當然，他不會待太久。我們還沒有領到子……」

她沒把話說完，但貝萊還是點了點頭。

「總之，」她說：「你要知道，他總是準時抵達，所以整個過程都很安閒自在。我們會聊上幾分鐘；見面是一件苦差事，但他和我說話時總是相當正常。他就是那樣的人。然後他便會去做他的實驗，至於細節我就不大清楚了。他在我的住處設了一間實驗室，以便在見面日使用。當然，在他的住處還有一間大得多的實驗室。」

貝萊很想知道他在做些什麼實驗。或許和所謂的胎兒學有關吧。

他又問：「那天他可有任何不自然的表現？例如憂心忡忡？」

「不，不，他一向無憂無慮。」她差點笑出聲來，但在最後一刻忍住了。「他總是能百分之百控制情緒，就像你那位朋友一樣。」她用纖細的小手指了指丹尼爾，後者完全不為所動。

「我懂了。好，請繼續。」

嘉蒂雅並未說下去，而是悄聲問道：「你介不介意我喝點東西？」

「請便。」

嘉蒂雅的右手在椅子扶手上滑了一下，不出一分鐘，便有個機器人悄悄走進來，將一杯熱騰騰的飲料（冒出的熱氣清晰可見）遞給她。她慢慢呷了幾口，然後放下杯子。

她說：「這樣好多了。我能否問你一個私人問題？」

貝萊說：「你儘管問。」

「嗯，我讀過不少關於地球的記述。我一直很有興趣，你知道吧。一個那麼古怪的世界。」

她倒抽一口氣，趕緊補了一句：「我並不是那個意思。」

貝萊微微皺起眉頭。「凡是你沒住過的世界，對你而言都是古怪的。」

「我其實是想說很不一樣，你知道吧。總之，我想問你一個無禮的問題，但我希望至少在地球人聽來不算無禮。當然，我不會拿這個問題問索拉利人，絕對不會。」

「什麼問題，嘉蒂雅？」

「關於你和你的這位朋友——奧利瓦先生，對不對？」

「對。」

「你們不是彼此顯像吧？」

「你是什麼意思？」

「我的意思是你們彼此看得到。你們兩人都在那裡。」

貝萊說：「對，我們實際上共處一室。」

「你能碰觸他——如果你真想這麼做的話。」

「沒錯。」

她輪流掃視他們兩人，然後說：「喔。」

這聲「喔」有可能是任何意思。噁心？反感？

貝萊起了一個促狹的念頭，如果他現在站起來走向丹尼爾，然後伸出手，不偏不倚地放到丹尼爾臉上，那麼她的反應一定很有意思。

但他只是說：「剛才，你正準備說明當天你丈夫來見你的情形。」他萬分確定，她之所以把話岔開——不論她對另外那個問題多麼感興趣——主要還是因為她想避開這個問題。

她又花了點時間喝飲料，這才答道：「沒有多少好說的。我看得出他很忙，這點我相當肯定，因為他總是在做有建設性的事，所以我也回到我的工作崗位去了。然後，大約過了十五分鐘，我聽到一聲叫喊。」

她說到這裡就打住了，貝萊只好主動提問：「什麼樣的叫喊？」

她答道：「是瑞坎恩，是我丈夫的叫喊。只是叫喊，沒說任何話。那是一種恐懼，不！應該說是驚訝、是震驚。在此之前，我從未聽過他的叫喊。」

她舉起雙手摀住耳朵，彷彿想要阻擋記憶中的那個聲音，與此同時，她身上的浴袍緩緩滑到腰際。她並沒有注意到，貝萊則緊盯著自己的筆記本。

他問：「你的反應是？」

「我馬上跑，跑去找他。我不知道他在哪裡……」

「我以為你剛才說過，他去了那間設在你那兒的實驗室。」

「沒錯，以——以利亞，但我不知道它在哪裡。反正我不確定，我從來沒去過，那是他的實驗室。我對它的位置有個大致的概念，知道它在西側，但我心亂如麻，甚至沒想到要召喚機器人。任何一個機器人都能輕易把我領到那裡去，但如果沒召喚，它們當然都不會來。等到我好容易找到那裡，他已經死了。」

她突然打住，低下頭哭了起來，這個舉動令貝萊感到極不自在。她並未試圖遮住臉龐，只是閉著雙眼，讓淚水順著臉頰慢慢向下流。她幾乎沒發出任何聲音，肩頭也只是微微顫抖。

然後，她張開了眼睛，淚眼汪汪地望著他。「我以前從來沒有見過死人。他渾身是血，而他的頭……簡直……全部……我勉強找來一個機器人，它又叫來其他同伴。接下來，我想是它們在照顧我，並處理了瑞坎恩。我不記得了，我不……」

貝萊問：「你說它們處理了瑞坎恩，這話什麼意思？」

「它們把他帶走，把一切都清理乾淨了。」她的聲音中帶著一絲氣憤，證明她是一位注重整潔的女主人。「房間給弄得一團糟。」

「屍體是怎麼處理的？」

她搖了搖頭。「我不知道。我想是燒了吧，跟其他的屍體一樣。」

「你沒有報警嗎？」

她顯得一臉茫然，貝萊恍然大悟：這裡沒有警察！

他說：「我想，你還是跟某人說了。這件事才會傳開來。」

她答道：「機器人找來一名醫生。我也必須通知瑞坎恩的工作場所，讓那裡的機器人知道他再也不會回去了。」

「我想，醫生是替你找的吧。」

她點了點頭。直到這個時候，她似乎才注意到浴袍正垂掛在自己的臀部。她將浴袍拉到適當位置，可憐兮兮咕噥著：「真抱歉，真抱歉。」

她無助地坐在那裡，渾身發抖、臉孔扭曲地回憶著那段可怕的往事，令貝萊覺得很不自在。她從來沒有見過死人，也從未見過四濺的鮮血和破碎的頭顱。雖說索拉利上的夫妻關係相當薄弱，她還是見到了一具死狀甚慘的屍體。

接下來，貝萊簡直不知道該說些什麼或做些什麼。他起了想道歉的衝動，但身為一名警員，他這麼做只是盡忠職守罷了。

可是這個世界並沒有警務人員。她能否瞭解他只是在盡忠職守？

他慢慢地，盡可能溫柔地說：「嘉蒂雅，當時你有沒有聽到任何聲音？任何除了那聲叫喊以外的聲音？」

她抬起頭來，雖然一臉悲苦，那張俏臉美麗依舊，或許還因而更具吸引力。她答道：「沒有。」

「沒有腳步聲？沒有其他聲音？」

她又搖了搖頭。「我什麼也沒聽到。」

「當你發現你丈夫的時候，你確定他是單獨一人？現場只有你們兩位嗎？」

「是的。」

「沒有任何外人來過的跡象？」

「我完全看不出來。總之，我無法想像外人怎麼到得了那裡。」

「你為何這麼說？」

一時之間她顯得很驚訝，不久卻又沮喪地說：「你是地球來的，我一直忘記這件事。好吧，因為不可能有外人到得了那裡。除了我之外，我丈夫從來不見任何人；他自幼如此，絕無例外。他當然不是那種喜歡見人的人，我的瑞坎恩不是那種人。他一向非常嚴謹，非常遵從習俗。」

「或許並非出於他的自願。萬一有個不速之客前來見他，而他事先完全不知情？不論他多麼遵從習俗，也不可能避開那個不速之客。」

她說：「或許吧，但他一定會立刻召喚機器人，叫它們把那人趕走。他一定會那麼做！何況如果沒有受邀，誰也不會試圖見我丈夫。我無法想像會有那種事。而瑞坎恩是絕對不會邀請任何人來見他的。這種事光是想想都很荒謬。」

貝萊柔聲道：「你丈夫是頭部受到重擊而死亡的，對不對？這點你應該承認吧。」

「我想是吧。他……整個……」

「現在我並不是在詢問細節。請你想想，那個房間有沒有任何機械裝置，可以讓人透過遙控砸爛他的頭顱。」

「當然沒有。至少，我並沒有看見。」

「如果真有那樣的東西，我想你當時應該看得見。由此可知，曾有一隻手抓著一件能夠砸爛頭顱的東西，而且曾經用力揮舞。換句話說，一定曾經有人距離你丈夫不到四英尺，所以那人的確見到他了。」

「不可能的。」她義正辭嚴地說：「凡是索拉利人，都不會見任何人。」

「一個會犯下謀殺案的索拉利人，不會介意稍微見見人，對不對？」

（在他自己聽來，這句話並沒有多大的說服力。他知道地球上有一樁案例，某個喪盡天良的兇手最後之所以被捕，只是因為他無法違反在公共浴室必須絕對禁聲的習俗。）

嘉蒂雅搖了搖頭。「你對見面這件事並不瞭解。地球人隨時隨地想見誰就見誰，所以你並不瞭解……」

她似乎再也壓不住自己的好奇心，她的眼睛也為之一亮。「對你而言，見面似乎是再正常不過的一件事，對嗎？」

「我總是視之為理所當然。」貝萊說。

「不會給你帶來困擾？」

「怎麼可能呢？」

「嗯，膠捲書沒提，而我一直很想知道——我問個問題無妨吧？」

「問吧。」貝萊硬邦邦地說。

「你擁有一個指派給你的妻子嗎？」

「我已婚，至於所謂的指派我就不懂了。」

「據我所知，只要你想見你的妻子，隨時能夠見到她，而她也隨時能見到你，你們從不覺得這有什麼了不起。」

貝萊點了點頭。

「嗯，當你見到她，我是說當你想要的時候——」她將雙手舉在胸前，遲疑了片刻，彷彿在尋找適當的用詞。然後她又試了一次：「是不是任何時候，你都能……」她未能說下去。

貝萊並未試著幫她。

她又說：「唉，算了。反正我也不知道為什麼會拿這種事煩你。你問完了嗎？」看來她好像又要掉眼淚了。

貝萊說：「最後一個問題，嘉蒂雅。暫且忽略沒有人見得到你丈夫，假設的確有人見到他，誰最有可能呢？」

「這麼猜毫無用處。誰都不可能。」

「一定有這樣的人。葛魯爾局長說他的確有理由懷疑某人，所以你看，一定有這樣一個人。」

女子臉上閃現一抹極其勉強的笑容。「我知道他在懷疑誰。」

「很好，是誰？」

她將纖細的小手按在自己胸部。「我。」

第六章　推論

「我想我應該說，以利亞夥伴，」丹尼爾突然開口發言，「這是個明顯的結論。」

貝萊對這位機器人搭檔投以驚訝的一瞥。「為什麼明顯？」他問。

「這位女士自己強調，」丹尼爾說：「她是唯一見得到她丈夫的人。索拉利的社會習俗正是如此，她不想說實話也不行。而葛魯爾局長當然有理由相信，甚至可以說不由得他不信，在索拉利上只有妻子見得到她的丈夫。既然只有一個人能夠來到見面的距離，那就只有一個人可能是兇手。你該記得，葛魯爾局長曾說只有一個人有可能這麼做，他認為其他人都絕不可能。對不對？」

「他也提到過，」貝萊說：「那個人同樣不可能犯案。」

「他也許是指並未在兇案現場找到任何兇器。想必德拉瑪夫人能夠解釋這件怪事。」

他以機器人特有的文雅動作指了指嘉蒂雅的位置，這時她仍在顯像的中心，只見她目光低垂，一張小嘴抿得很緊。

耶和華啊，貝萊心想，我們差點忘了這位女士。

或許是由於惱羞成怒，他的記性才會突然失靈。而自己之所以惱怒，他想，都要怪丹尼爾那種不帶感情的辦案方式。但禍首也可能是他自己，是他的辦案方式太感情用事了。

他並未繼續分析下去。「今天就到此為止，嘉蒂雅。不管切斷聯繫時該說些什麼，總之再見了。」

她柔聲應道：「有些人會說『顯像結束』，但我比較喜歡說『再見』。你似乎心神不寧，以利亞。我很抱歉，但我已經習慣被人當成兇手了，所以你不必覺得內心不安。」

丹尼爾問：「真是你做的嗎，嘉蒂雅？」

「不是我。」她憤憤地說。

「那麼，再見了。」

直到消失的那一刻，她臉上的怒意依舊未消。有那麼一陣子，貝萊仍能感到那雙灰眼珠帶給他的無比震撼。

她大可宣稱自己習慣了被人當成兇手，但那顯然是十分拙劣的謊言。她的怒意比她的言語更能吐露實情。貝萊不禁納悶，她到底有本事撒多少謊呢。

貝萊現在又和丹尼爾獨處了，他說：「好啦，丹尼爾，我可不是大笨蛋。」

「我也從不這麼想，以利亞夥伴。」

「那就告訴我，你為何會說並未在兇案現場找到兇器？目前為止，我還沒查到任何證據，也沒問到任何口供，能讓我們做出這個結論。」

「你說得很對。我得到一些新的資料，還來不及拿給你看。」

「我就知道。什麼樣的資料？」

「葛魯爾局長曾說，他會送過來一份他們自己的調查報告。就是我手上這份，今天早上送來的。」

「你為什麼現在才拿給我看？」

「我覺得，或許至少在最初階段，最好讓你根據自己的想法進行調查，不要受到他人的影響，何況他們自己也承認並未得到滿意的結論。而我自己，正是因為我覺得自己的邏輯程序可能受到了那些結論的影響，所以剛才並沒有參與討論。」

邏輯程序！貝萊腦海中突然冒出他和一位機器人學家聊天的記憶片段。那人說：機器人講求邏輯，可是不講理。

他說：「最後你還是加入了討論。」

「沒錯，以利亞夥伴，但那是因為我有了獨立的證據，足以支持葛魯爾局長的懷疑。」

「什麼樣的獨立證據？」

「從德拉瑪夫人的言行推論出來的證據。」

「明確一點，丹尼爾。」

「假設這位女士正是兇手，卻試圖證明自己是無辜的，那麼辦案的警探若能相信她的清白，會對她相當有利。」

「所以呢？」

身上。」

「如果她有辦法利用他的弱點來左右他的判斷，她很可能會這麼做，對不對？」

「純粹是假設。」

「並不盡然。」這是個心平氣和的回答，「我想，你也注意到了，她將注意力全部集中在你身上。」

「因為我負責問話。」貝萊說。

「打從一開始，在她還沒猜到將由你問話之前，她的注意力就放在你身上了。事實上，就邏輯而言，她應該會以為將由我這個奧羅拉人來主導調查。但她卻認定了你。」

「你從這點導出了什麼結論？」

「她把自己的希望全寄託在你身上，以利亞夥伴。因為你是地球人。」

「那又怎樣？」

「她研究過地球，這點她暗示了不止一次。晤談剛開始時，我要求她擋掉外面的日光，她完全知道我在講什麼。這就代表她對地球有著真正的認識，否則她一定會顯得驚訝或不解。」

「所以呢？」

「既然她研究過地球，我們就能相當合理地假設，她發現了地球人的一項弱點。她一定知道赤身露體這個禁忌，以及裸露會帶給地球人怎樣的震撼。」

「她……她解釋過那是顯像……」

「她的確解釋過，但你覺得她的解釋能說服你嗎？她曾兩度在你認為衣不蔽體的情況下，向你展露她自己——」

「你的結論是，」貝萊說：「她在試圖引誘我，對不對？」

「試圖誘使你偏離專業的客觀，在我看來就是如此。對於這樣的刺激，我雖然無法產生人類的反應，但根據印記在我指令線路上的內容，我斷定這位女士的肉體相當具有吸引力。更何況根據你的行為，我覺得你體認到了這個事實，而且對她的身體極為讚賞。我甚至敢斷言，德拉瑪夫人的策略奏效了，她的行為模式果然令你對她產生了好感。」

「聽著，」貝萊不太自然地說：「不管她可能對我造成什麼影響，我仍舊是一名執法的警官，我對自己的職業道德沒有絲毫鬆懈。這點千萬給我記住。現在，我們來看報告吧。」

貝萊默默讀了一遍報告。讀完之後，他翻回第一頁，又從頭到尾讀了一遍。

「這裡面有點新東西。」他說：「那個機器人。」

丹尼爾．奧利瓦點了點頭。

貝萊若有所思地說：「她並沒有提到。」

丹尼爾說：「因為你沒有問對問題。你問的是當她發現屍體時，是不是只有她丈夫一個人；你問的是現場還有沒有其他人。機器人並不能算『其他人』。」

貝萊點了點頭。假使他自己是嫌犯，有人問他兇案現場還有些什麼人，他也不太可能回答：「就只有這張桌子了。」

他說：「我想，我該問她是否有任何機器人在場？」（他媽的，在這個奇怪的世界上，到底該怎麼問問題才對？）他又說：「機器人作證有多少法律效力，丹尼爾？」

「你是什麼意思？」

「在索拉利，機器人能不能算目擊者？能不能提供證詞？」

「你為何有此一問？」

「機器人不是人類，丹尼爾。在地球的法庭上，它們不能擔任證人。」

「但腳印卻可以，以利亞夥伴，雖說腳印要比機器人更不像人類。就這點而言，地球所抱持的立場是不合邏輯的。在索拉利，只要條件符合，機器人作證都是合法的。」

貝萊並未提出任何反駁。他將下巴靠在右手的指節上，把這個新線索好好想了一遍。

站在丈夫屍身旁邊的嘉蒂雅．德拉瑪，曾在極度恐懼的情況下高聲召喚機器人。當它們來到現場時，她已經不省人事。

那些機器人供稱，它們發現她和那具屍體躺在一起。此外現場還有一樣事物：那個機器人。它並非召喚來的，而是原本就在那裡。它並不屬於這個管家團隊。其他的機器人都沒有見過它，更不知道它負有什麼功能或任務。

而從這個機器人身上也查不出什麼來。它早已無法正常運作了。被發現的時候，它的動作全然毫無章法，正子腦的功能顯然也好不到哪裡去。無論語言或動作，它的反應都很不正常。一位機器人專家做了徹底調查後，宣稱它已經完全沒救了。

當時，它僅有的一點點有意義的行為，就是一直不停重複說著：「你要殺我……你要殺我……你要殺我……」

偏偏找不到可能用來砸爛死者頭顱的兇器。

貝萊突然說：「我想要吃點東西，丹尼爾，然後我們再跟葛魯爾見個面——或者應該說，見見他的顯像。」

當取得聯繫時，漢尼斯．葛魯爾仍在用餐。他吃得很慢，每一口都是從菜餚中精挑細選出來的，而且他一面吃，還一面急切地盯著每一盤菜，彷彿想從中發掘出他覺得最滿意的組合。

貝萊心想：他或許已有好幾百歲，對他而言，用餐這回事也許越來越乏味了。

葛魯爾說：「晚安，兩位。我相信你們已經收到我的報告了。」當他俯身攫取美食之際，他的光頭看起來閃閃發亮。

「收到了。而且，我們和德拉瑪夫人做了一次有趣的晤談。」貝萊說。

「很好，很好。」葛魯爾說：「你們是否得到任何結論了？」

貝萊答道：「我們認為她是無辜的，局長。」

葛魯爾猛然抬起頭來。「真的？」

貝萊點了點頭。

葛魯爾說：「但她是唯一能夠見到他的人，唯一有可能走到他近前……」

貝萊說：「這點我已經很明白了，但無論索拉利的社會習俗多麼強而有力，這個說法也絕非定論。我能解釋一下嗎？」

又吃起晚餐的葛魯爾說：「當然。」

「謀殺案共有三大要素，」貝萊說：「三者同樣重要，那就是動機、方法和機會。不論指控任何嫌犯，這三大要素缺一不可。我同意你的說法，德拉瑪夫人有犯案的機會。至於動機嘛，你們完全沒提到。」

葛魯爾聳了聳肩。「我們完全沒找到。」他的目光突然飄向沉默的丹尼爾。

「好吧。嫌犯並沒有已知的動機，但她仍有可能是個心理變態的殺手。這點我們可以暫且保留，繼續討論下去。當時他們夫妻倆都在他的實驗室，而她基於某個原因想要殺他。她衝著他揮舞一根木棒或某種重物，一兩秒鐘後，他才終於瞭解他的妻子當真想傷害他。他驚慌地大喊：『你要殺我。』然後她就下手了。他轉身想跑，卻晚了一步，於是後腦遭到重擊。對了，有沒有醫生檢查過他的屍體？」

「可以說有吧。機器人找了一名醫生來照顧德拉瑪夫人，可想而知，他順便瞧了瞧那具屍體。」

「報告裡沒提到這件事。」

「這可以說是無關緊要。反正人已經死了。事實上，當醫生以顯像見到屍體時，它已經被剝掉衣服，沖洗乾淨，正準備照例進行火化了。」

「換句話說，那些機器人毀滅了證據。」貝萊氣咻咻地說，隨即又問：「你剛才是不是說他以顯像觀看屍體？他並未真正見到？」

「太空啊，」葛魯爾說：「多麼噁心的想法。他當然是以顯像觀看，我確定他用了特寫鏡頭，而且各個角度都沒漏掉。在某些情況下，醫生免不了親自見到病人，但我實在想不出有任何原因，要他們不得不見到屍體。行醫是個骯髒的工作，但即使醫生也有個底線。」

「嗯，那麼我的問題是：那位醫生有沒有提到關於德拉瑪博士的致命傷？」

「我知道你想導出什麼了。你認為傷勢或許太嚴重，不可能是女子造成的。」

「女性總是比男性柔弱些，局長，而且德拉瑪夫人身材嬌小。」

「可是行動相當敏捷，便衣。只要有合用的武器，萬有引力和槓桿原理能夠發揮最大的作用。就算這些因素都不存在，發了狂的女人還是能做出難以置信的事。」

貝萊聳了聳肩。「你提到了兇器，它在哪裡？」

葛魯爾換了一個坐姿。他伸手取了一個空杯子，立刻有個機器人進入顯像範圍，在杯中注滿很可能是清水的無色液體。

葛魯爾將杯子握在手中片刻，然後放下來，彷彿又不想喝了。「正如報告中所述，我們一直無法找到兇器。」他說。

「我知道報告上是這麼說的。有幾件事我想要百分之百確定，你們的確找過兇器？」

「徹底找過。」

「你自己進行的？」

「機器人進行的，可是從頭到尾，我都以顯像監督它們。我們找不到任何可能是兇器的東西。」

「這就減輕了德拉瑪夫人的嫌疑，對不對？」

「的確如此。」葛魯爾平靜地說：「這件案子有好些我們想不通的地方，這是其中之一。我們之所以沒有對德拉瑪夫人採取行動，這便是主要的原因。我之前告訴你，唯一有嫌疑的人也不可能犯下此案，也正是由於這個原因。或許我應該說，表面上看起來，她不可能犯下這樁謀殺案。」

「表面上？」

「她一定設法把兇器處理掉了，目前為止，我們還沒本事找出來。」

貝萊毫不放鬆地問：「你們考慮了所有的可能性嗎？」

「我想是的。」

「我存疑。讓我們動動腦吧，某人的頭顱被某種兇器砸爛了，兇案現場卻遍尋不到它。唯一的可能就是它被帶走了，但不可能是瑞坎恩．德拉瑪帶走的，因為他死了。有沒有可能是嘉蒂雅．德拉瑪帶走的呢？」

「一定是這樣。」葛魯爾說。

「怎麼做到的？當機器人抵達現場時，她倒在地板上昏迷不醒。或許她只是假裝昏迷，但無論如何她躺在那裡。從兇案發生到第一個機器人趕來，這段時間有多久？」

「這取決於兇案發生的精確時刻，但我們不知道。」葛魯爾心虛地說。「我把報告讀完了，局長。有個機器人供稱它聽到了騷動，以及它認為是屬於德拉瑪博士的一聲喊叫。它顯然是最接近現場的機器人。五分鐘後，召喚訊號響了起來，要不了一分鐘，那個機器人就趕到了現場。」（貝萊想到自己的親身經驗，機器人一旦接到召喚，便會十萬火急地趕過來。）「五分鐘，就算十分鐘吧，德拉瑪夫人既要把兇器帶離現場，又要及時趕回來假裝昏迷，她能把兇器藏多遠？」

「她可以用垃圾處理器將它銷毀。」

「根據這份報告，垃圾處理器也檢驗過了，殘餘的伽瑪射線相當低。二十四小時內，它頂多處理過很小的東西。」

「這我知道。」葛魯爾說：「我只是舉例說明可能的情形。」

「沒錯。」貝萊說：「但也可能有個非常簡單的解釋。我想，德拉瑪家的機器人通通接受過檢查，完全沒有可疑之處。」

「是啊。」

「而且通通運作正常。」

「是的。」

「兇器有沒有可能是被哪個機器人帶走了，而它或許不知道那是什麼東西？」

「沒有任何機器人從兇案現場移走任何東西，它們甚至未曾碰觸任何東西。」

「這話有問題。至少屍體確定是被它們移走了，而且做了火化前的準備。」

「嗯，這當然沒錯，但這不算什麼。誰都知道機器人會這麼做。」

「耶和華啊！」貝萊咕噥一聲。他得努力設法保持冷靜。

他說：「好，假設現場還有另一個人。」

「不可能。」葛魯爾說：「怎麼可能有人闖到德拉瑪博士面前呢？」

「假設！」貝萊喊道，「好，機器人從未想到會有人闖進來。我猜，它們也不會立刻對那棟房子做地毯式搜索。報告中就完全沒有提到。」

「對。」

「直到我們要找兇器才進行了搜索，但那是很久以後的事了。」

「當初，也並未搜索任何地面車或飛車留下的蛛絲馬跡？」

「那麼，萬一有人壯著膽子，如你所說，闖到德拉瑪博士面前，就能將他殺害，然後從容離去。不會有人阻止他，甚至不會有人看到他。事後，由於大家確信現場不可能出現其他人，所以他能高枕無憂。」

「不可能出現其他人。」葛魯爾肯定地說。

貝萊說：「還有一個問題，最後一個了。這件案子還牽涉到一個機器人，當時它就在現場。」

丹尼爾首度打破沉默。「案發當時，那個機器人並不在現場，否則就不會發生這樁謀殺案了。」

貝萊猛然轉過頭去。剛舉起杯子似乎想喝的葛魯爾也將杯子重新放下，雙眼緊盯著丹尼爾。

「難道不是嗎？」丹尼爾問道。

「相當正確。」葛魯爾說：「機器人會阻止人類彼此傷害，這是第一法則。」

「很好。」貝萊說：「我同意。但當時它一定在附近。其他機器人趕到現場時，它已經在那兒了。就說它原本在隔壁房間吧。兇手向德拉瑪步步進逼，於是德拉瑪喊道：『你要殺我。』家裡其他的機器人並未聽到這句話，它們頂多聽到了呼喊，但由於未受召喚，它們並沒有過來。可是，那個神祕的機器人聽到了這句話，於是第一法則驅使它主動前來，可惜太遲了。有可能，它親眼見到了行兇過程。」

「它一定是見到了行兇過程的最後一幕。」葛魯爾表示同意，「所以才會故障。目睹人類受到傷害而未能阻止，就是違背了第一法則，會使得正子腦或多或少受損，損傷程度則由實際情況而定。在這個例子裡，損傷極其嚴重。」

葛魯爾來來回回轉著杯子，雙眼凝視著自己的指尖。

貝萊說：「所以那個機器人就是目擊者，有沒有人偵訊過它？」

「偵訊有什麼用？它已經壞掉了。它只能說『你要殺我』這幾個字。目前為止，你所做的現場重建我都同意。那或許是德拉瑪所說的最後一句話，它深深烙印在那機器人的意識裡，成為它唯一殘存的記憶。」

「但我聽說索拉利人精通機器人學。難道沒辦法修理那個機器人嗎？不能接好它的電路嗎？」

「沒辦法。」葛魯爾斷然答道。

「現在那個機器人在哪裡？」

「拆了。」葛魯爾說。

貝萊揚了揚眉。「這是個相當奇特的案子。沒有動機，沒有方法，沒有目擊者，也沒有證據。就算證據原本有一點，後來也給毀了。你手上只有一個嫌犯，大家似乎都相信她就是兇手；至少，大家都確定其他人通通沒有嫌疑。顯然，這也是你的看法。所以問題是：找我來做什麼？」

葛魯爾皺起眉頭。「你似乎有點煩躁，貝萊先生。」他突然轉向丹尼爾，「奧利瓦先生。」

「請說，葛魯爾局長。」

「能否請你把這座寓所檢查一遍，確定所有的窗戶都關了起來並且遮蔽妥當。貝萊便衣可能受到了開放空間的影響。」

這句話令貝萊吃了一驚。他立刻有個衝動，想要駁斥葛魯爾的假設並命令丹尼爾留在原地，但正準備開口之際，他聽出葛魯爾聲音中帶著一絲驚恐，還看到他眼中射出懇求的目光。

他往椅背一靠，目送丹尼爾離開這個房間。

下一瞬間，葛魯爾彷彿摘掉一副面具，臉上露出赤裸裸的恐懼表情。他說：「這要比我想像中來得容易。我原本想了好些設法跟你獨處的計策。我從未想到奧羅拉人會這麼聽我的話，但我實在想不到別的辦法了。」

貝萊說：「好，我們現在獨處了。」

葛魯爾說：「有他在場，我就無法暢所欲言。他是奧羅拉人，我們接受他是不得已的，那是把你找來幫忙的代價。」這位索拉利官員傾身向前，湊近了貝萊一點。「我們請你來，並非單單因為那樁謀殺案。兇手是誰並非我唯一關心的事。索拉利上有些祕密黨派，祕密組織……」

貝萊瞪大眼睛。「不用說，這方面我幫不了你。」

「你當然幫得了我。請你務必瞭解，德拉瑪博士是傳統主義者，他相信古老的、優良的傳統。但我們之間還有一股新勢力，要求改變的勢力，於是德拉瑪就被滅口了。」

「是德拉瑪夫人幹的？」

「一定是假手於她，但這並不重要。她背後還有個組織，那才是真正嚴重的問題。」

「你確定嗎？你有證據嗎？」

「只有很薄弱的證據。我也沒辦法。瑞坎恩·德拉瑪當初在追查一件事。他向我保證找到了扎實的證據，而我相信他。我對他很瞭解，他這個人絕非愚蠢或幼稚之輩。不幸的是，他對我講得非常少。想當然，他打算先完成調查，然後再對當局公開這整件事。他一定是即將完成調查了，否則他們也不會冒這個險，以暴力手法公然殺害他。不過，德拉瑪還是對我講了一點，那就是整個人類如今都有危險。」

貝萊覺得自己心頭一震。一時之間，他彷彿又聽到了敏寧的言論，只是這回涵蓋的範圍更大。難道自己成了宇宙救星，人人都要找他求救？

「你為什麼認為我幫得上忙？」他問道。

「因為你是地球人。」葛魯爾說：「你瞭解了嗎？我們這些索拉利人對這種事毫無經驗。就某方面而言，我們並不瞭解人類。我們的人數實在太少了。」

他顯得很不自在。「我並不喜歡這麼說，貝萊先生。我的同事都嘲笑我，有些甚至惱羞成怒，但我確確實實有這種感覺。在我想來，僅僅因為你們的世界人滿為患，地球人對於人類的瞭解就一定遠勝過我們。而在這方面，警探的表現又勝過一般人。對不對？」

貝萊勉強點了點頭，忍住了沒開口。

葛魯爾又說：「換個角度來看，這樁謀殺案也算是一件幸事。我本來不敢跟任何人提起德拉瑪的調查，因為我不確定那個陰謀牽連多廣，有多少人涉入其中，而德拉瑪自己又不願在調查完成前公布任何細節。就算德拉瑪能夠完成調查，接下來我們又該怎麼辦？我們該怎樣對付有敵意的人類？我毫無概念。打從一開始，我就覺得我們需要地球人幫忙。當我聽說你在地球上偵破了那樁太空城謀殺案，我就知道你正是我們需要的人。我先和奧羅拉取得聯絡，因為他們曾經和你有過密切合作，然後又透過他們接觸到了地球政府。但我無法說服那些同事同意我這麼做。不久便發生了這樁謀殺案，這個巨大震撼給了我說服同事的機會。這時候，任何事情他們都會同意了。」

葛魯爾遲疑了一下，又補充道：「向地球求助並非簡單的事，但我必須這麼做。記住，不管那是什麼陰謀，總之整個人類都有危險，地球也不例外。」

所以說，地球面臨著雙重的危險。從葛魯爾的聲音，聽得出他已走投無路，他的真誠是無庸置疑的。

可是，若說這樁謀殺案是一件幸事，讓葛魯爾得以展開他一直急於想做的工作，它又真的是全然的幸事嗎？貝萊心中突然冒出一個新的想法，但並未反映在他的臉上、眼中或是聲音裡。貝萊說：「我奉派至此，局長，就是專程來幫忙的。這件事，我會全力以赴。」

葛魯爾終於再度舉起玻璃杯，透過杯緣望著貝萊。「很好。」他說：「拜託，千萬別對奧羅拉人透露半個字。無論那是什麼樣的陰謀，奧羅拉都可能有份。他們對這件案子的關注顯然異乎尋常。比方說，他們堅持要派奧利瓦先生擔任你的搭檔。奧羅拉勢力強大，我們不得不同意。他們說之所以這麼做，只是因為奧利瓦先生和你共事過，但也有可能是因為他們希望有個可靠的自己人親臨現場，嗯？」

他慢慢啜飲著，眼睛仍緊盯著貝萊。

貝萊用指節磨蹭著自己長長的臉頰，顯得若有所思。「如果說……」

說到這裡，他突然從椅子上跳起來，差點就要向對方衝過去，好在及時想到他所面對的只是影像。

至於葛魯爾，他雙眼狂瞪著那杯飲料，雙手掐著喉嚨，嘶啞地呻吟著：「好燙……好燙……」

玻璃杯從他手中墜落，裡面的液體灑了一地。葛魯爾隨之倒下，臉孔極度扭曲，顯得痛苦萬分。

第七章　醫生

丹尼爾出現在門口。「發生了什麼事，以利亞夥……」

但貝萊根本不必解釋。丹尼爾隨即提高音量喊道：「漢尼斯．葛魯爾的機器人！你們的主人受傷了！機器人！」

立刻有個金屬之軀大搖大擺走進餐廳，而在一兩分鐘後，又有十多個機器人魚貫而入。其中三個輕輕抱起葛魯爾，其餘的則忙著收拾善後，包括將散落一地的餐具一一撿起來。

丹尼爾猛然叫道：「你們這些機器人，別管那些杯盤了。組織一個搜索隊，找找屋內有沒有其他人類。同時通知戶外所有的機器人，要它們把這塊屬地每個角落都搜一遍。不論發現任何主人，都要把他留住，別傷害他——」（這話多此一舉）「但也別放他走。如果並未發現其他主人，也要向我回報。我會一直在這個顯像號碼上。」

等到機器人散開後，以利亞對丹尼爾喃喃道：「好戲開始了。當然是中毒。」

「沒錯，至少這點很明顯，以利亞夥伴。」丹尼爾以古怪的姿勢坐下來，彷彿他的膝蓋出了問題。在此之前，貝萊從未見過他有任何軟弱的時刻，更遑論表現得像一個膝蓋有毛病的人類。

丹尼爾說：「目睹人類受到傷害，對我的機件有不良影響。」

「你根本救不了他。」

「這點我瞭解，但我的思想徑路就是好像有點阻塞。借用人類的說法，我的感受大概等同於震驚。」

「若是這樣，就設法克服吧。」貝萊無法同情一個不舒服的機器人，甚至有點不耐煩。「我們得稍微研究一下責任歸屬。有人中毒，一定有人下毒。」

「也有可能是食物中毒。」

「純屬意外的食物中毒？在一個這麼衛生的世界上？絕無可能。此外，有毒的是那杯飲料，而且毒性發作得又猛又突然。那一定是毒藥，而且劑量很高。聽著，丹尼爾，我要去隔壁房間，好好想一想這件事。你去聯絡德拉瑪夫人，要確定她正在家裡，順便查一下她和葛魯爾兩人的屬地距離有多遠。」

「你是不是認為她……」

貝萊舉起手來。「去查就對了，好嗎？」

他走出那個房間，設法獨處一會兒。在索拉利這樣的世界上，絕不可能在這麼短的時間內發生兩件毫無關聯的蓄意謀殺。而兩者如果確實有關，最簡單的假設就是葛魯爾所說的陰謀真有其事。

貝萊覺得心中湧現一股熟悉的興奮感。他來到這個世界時，心頭壓著兩個重擔，一個是地球的危機，另一個是他自己的。那宗謀殺案原本感覺上相當遠，現在卻要真正展開緝兇行動了。想到這裡，他的下顎肌肉不禁一緊。

畢竟，兇手（或兇手們）竟然在他面前行兇，對他而言簡直是奇恥大辱。對方就這麼不把他放在眼裡？貝萊心知肚明，自己的職業尊嚴受到了傷害，但他也因而感到高興。至少，現在他有一個堅實的理由，可以將這件事當成一個單純的謀殺案，不必再把地球的安危牽扯進來。

這時丹尼爾剛好找到他，正大踏步向他走過來。「我已經照你的吩咐做了，以利亞夥伴。我以顯像和德拉瑪夫人聯絡過，她的確在家，而她家距離葛魯爾局長的屬地超過了一千英里。」

貝萊說：「稍後我會親自見見她，我是指透過顯像。」他若有所思地瞪著丹尼爾，「你認為她和這個下毒案有任何牽連嗎？」

「看起來並沒有直接的牽連，以利亞夥伴。」

「你是否在暗示可能有間接的牽連？」

「她或許說服了其他人替她行兇。」

「其他人？」貝萊立刻追問，「誰？」

「這點，以利亞夥伴，我就答不出來了。」

「如果是由別人替她下手，那人一定到過現場。」

「是的。」丹尼爾說：「那人一定曾經到過那兒，才能將毒藥放進飲料裡。」

「有沒有可能飲料是當天稍早遭到下毒的？也或許提前了更久？」

丹尼爾平靜地答道：「這點我也想過，以利亞夥伴，所以當我提到德拉瑪夫人和下毒沒有直接牽連時，我故意用『看起來』這幾個字。的確有可能她在稍早的時候到過現場，最好查一查她今天的行蹤。」

「我們一定要查。我們要查查她是否親自去過那裡，不論是任何時候。」

貝萊噘起嘴來。他曾猜測機器人的邏輯總有不靈的時候，現在終於得到證實了。正如那位機器人學家所說：它們講求邏輯，可是不講理。

他又說：「我們回顯像室去，重新聯絡葛魯爾的屬地。」

那個房間現在煥然一新，完全看不出幾十分鐘前曾有人痛苦萬分地倒在地上。

三名機器人背靠著牆站立，表現出機器人一貫的恭順態度。

貝萊說：「你們的主人可有任何消息？」

中間那個機器人答道：「回主人，醫生正在照顧他。」

「透過顯像還是在現場？」

「透過顯像，主人。」

「醫生怎麼說？你們的主人有救嗎？」

「回主人，目前還不確定。」

貝萊又問：「房子搜索過了嗎？」

「徹底搜過了，主人。」

「除了你們自己的主人，有沒有其他主人的蹤跡？」

「回主人，沒有。」

「有沒有其他主人最近來過的蹤跡呢？」

「回主人，完全沒有。」

「戶外也正在進行搜索嗎？」

「是的，主人。」

「目前可有任何結果？」

「沒有，主人。」

貝萊點了點頭。「我想跟服侍晚餐的那個機器人談談。」

「它正在接受檢查，主人，它的反應有些奇怪。」

「它可以說話嗎？」

「回主人，可以。」

「那就第一時間把它找來。」

不料第一時間毫無反應，貝萊開口催促：「我說……」

丹尼爾毫不猶豫地打岔道：「這些索拉利機器人彼此間都保持著無線通訊，你要找的那個機器人已經接到召喚。如果它來得慢，是因為剛才發生的事故干擾了它的正常運作。」

貝萊點了點頭。他應該猜到無線通訊這檔事。在這個幾乎將一切交給機器人的世界上，機器人之間一定要保持著密切聯繫，否則整個體系便會崩潰。這也解釋了為何一個機器人受到召喚，竟然有十幾個跟在它後面，那是因為當時確有這個需要，否則它們絕對不會現身。

一個機器人一跛一跛走了進來。貝萊不禁大為好奇，最後卻只是聳了聳肩。即使是那些相當原始的地球機器人，當它們的正子徑路受損時，外行人也根本看不出所以然來。以現在這個例子而言，受損的電路可能影響到了腿部的正常功能，但只有機器人學家瞭解背後的道理，其他人完全不明白其中的意義。

貝萊小心謹慎地說：「你記不記得主人的餐桌上有一壺無色液體，你曾經倒了一些到他的高腳杯中？」

那機器人答道：「憶得，土人。」它的發音咬字也出了問題！

貝萊說：「那個無色液體到底是什麼？」

「回土人，係水。」

「只是水嗎？沒有別的東西？」

「回土人，僅係水。」

「你是從哪裡取來的？」

「回土人，從一個吐水槽。」

「在你端到餐廳之前，它一直在廚房裡嗎？」

「土人不喜歡太冷的水，總命令我們餐前一小時先把水倒出來。」

貝萊心想，如果有人知道這個習慣，那可就太方便了。

他說：「找個機器人來聯絡照顧你們主人的那個醫生，一旦他有空，立刻替我接通他。與此同時，我要另一個機器人來解釋一下儲水槽怎樣操作，我要徹底瞭解此地的給水系統。」

過了一陣子，那位醫生才終於有空。在貝萊見過的太空族當中，他算是年紀最大的一位，而這就意味著，貝萊心想，他或許已經超過三百歲了。他的雙手布滿一條條青筋，剪成平頭的短髮根根雪白。他習慣用指甲敲打著自己的門牙，發出喀喀喀的噪音，令貝萊覺得很不舒服。

這位大名亞丁．索爾的醫生說：「幸好，他把毒藥吐出來很多。話說回來，他還是有生命危險。真是太不幸了。」他重重嘆了一口氣。

「到底是什麼毒藥，醫生？」貝萊問。

「只怕我不知道。」（喀——喀——喀）

貝萊回應道：「什麼？那你如何治療他？」

「直接刺激神經肌肉系統來預防癱瘓，但除此之外，我就讓他聽天由命了。」一個懇求的表情出現在他的臉孔上（那微黃的皮膚看起來好像久經磨損的高級皮革）。「對於這種事，我們的經驗少之又少。我行醫有兩個多世紀了，還是第一次碰到這種病例。」

貝萊用蔑視的眼神瞪著對方。「你總該知道有種東西叫毒藥吧？」

「知道，」（喀——喀）「普通常識嘛。」

「你可以從膠捲參考書中查到進一步的資料。」

「那要花上好幾天的時間。無機毒素種類繁多，此外這個社會普遍使用殺蟲劑，而要取得細菌性毒素也並非不可能。即使膠捲書中記載得很詳細，若想檢驗這些毒素，我也得花很長的時間，才能找齊足夠的設備，發展出足夠的技術。」

「如果索拉利沒有任何專家。」貝萊繃著臉說：「我建議你盡快聯絡其他世界，設法找個精通的人。與此同時，你最好驗一下葛魯爾家的儲水槽有沒有毒性反應。如果有必要，親自跑一趟，親自動手做。」

面對一位年高德劭的太空族，貝萊竟以粗魯的態度把他當成機器人使喚，卻不覺得這樣做有什麼不對。居然這位太空族也並未提出任何抗議。

索爾醫生深表懷疑地說：「儲水槽怎麼可能有毒呢？我確定這是不可能的。」

「或許不可能，」貝萊表示同意，「但總要驗一下才能確定。」

的確，儲水槽遭人下毒的可能性極低。根據機器人所做的詳細說明，儲水槽是索拉利上一項標準的民生用品，無論任何來源的水皆能淨化。它不但能去除所有的微生物以及無生有機物，還會進行適量的曝氣過程，並在水中適度加入人體所需的各種微量離子。在如此的重重把關下，幾乎不可能再有任何毒物殘留。

話說回來，若能確定儲水槽安全無虞，本案的時間表就更加明確了。拜葛魯爾個人癖好之賜，開飯前有整整一小時的時間，那壺水被放在一旁慢慢回溫（暴露在空氣中，貝萊不以為然地想）。

索爾醫生卻皺著眉頭說：「可是我要怎樣檢驗那個儲水槽呢？」

「耶和華啊！帶一隻動物去，從水槽中抽出一點水來，注射到牠的血管裡，或讓牠喝下去。動動腦筋，老兄。那個水壺裡面剩下的水，也要做同樣的檢驗，如果不出所料有毒，你再根據膠捲參考書中的說明，做些正式的檢驗。找幾個簡單的來做，總之一定要做。」

「慢著，什麼水壺？」

「裝水的那個水壺。機器人倒出毒水的那個水壺。」

「喔，天啊——我猜它早就被清洗乾淨了。管家機器人絕對不會讓它留在原處。」

貝萊悶哼一聲。當然不會的。有這些認真負責、盡忠職守的管家機器人跟在後面拚命破壞，想要保留任何證據都是不可能的事。他應該下令保持現場完整才對，可是他對這個社會並不熟悉，自然難以做出正確的反應。

耶和華啊！

他們終於接到了回報，葛魯爾的屬地已經清查完畢，沒有任何外人闖入的跡象。

丹尼爾說：「這麼一來，真相變得更加費解了，以利亞夥伴，因為下毒的人似乎並不存在。」

陷入沉思的貝萊幾乎沒聽見這句話，他說：「什麼？……剛好相反，剛好相反，這樣反倒釐清了案情。」雖然明知丹尼爾無法瞭解或相信自己所認定的答案，但他並未立即做出解釋。

丹尼爾也並未要求他解釋。打擾人類的思考絕非機器人的行事作風。貝萊坐立不安地來回走動，一直停不下來。他心知肚明，隨著睡眠時間的迫近，自己對開放空間的恐懼將逐漸升高，對地球的思念更會有增無減。現在，他覺得自己有個近乎瘋狂的渴望，最好永遠有新狀況不斷發生。

他對丹尼爾說：「我想還是和德拉瑪夫人再見一次面吧，叫機器人進行聯繫。」

他們兩人走進顯像室，看到一個機器人正在靈巧地揮舞金屬手指。突然間，一張擺滿佳餚的餐桌佔據了半個房間，貝萊這才猛然一驚，中斷了虛無縹緲的胡思亂想。

嘉蒂雅的聲音隨即出現：「嗨。」不久之後，她走進顯像範圍，坐了下來。「別顯得那麼驚訝，以利亞。現在是晚餐時間，而且我的穿著非常正式。看到了嗎？」

的確沒錯。她穿著一件閃閃發亮、以淡藍色為主的洋裝，上上下下一路遮到手腕和腳踝。洋裝的頸部和肩部裝飾著黃色滾邊，比她的髮色淡了一點。她的一頭秀髮則梳得整整齊齊，呈現美麗的波浪狀。

貝萊說：「我無意打斷你的晚餐。」

「我還沒開始呢，你們何不跟我一起吃？」

他狐疑地望著她。「一起吃？」

她哈哈大笑。「你們地球人真有趣。我不是指真正聚在一起吃，你怎麼做得到呢？我的意思是，你們到自己的餐廳去，然後你和另外那位就能和我一起吃了。」

「但如果我離開……」

「顯像技工機器人會幫你保持聯繫。」

丹尼爾鄭重地點了點頭，貝萊則半信半疑地轉身走向門口。只見嘉蒂雅和她的餐桌，以及其上的菜餚、餐具和裝飾品，果真一起跟著他前進。

嘉蒂雅露出鼓舞的笑容。「看到了嗎？你的顯像技工讓我們一直保持聯繫。」

貝萊和丹尼爾沿著一個斜坡往上走，不過貝萊並不記得之前走過這條路。顯然在這座不可思議的巨宅中，任何兩個房間之間都存在著許多聯繫管道，而他只知道一小部分。不過，丹尼爾當然全部瞭然於胸。

在這段路程中，不論穿過任何一堵牆，嘉蒂雅和她的餐桌始終緊隨著他們，只是桌腳有時比地板低一點，有時則高出一些。

貝萊停下腳步，喃喃說道：「我不太適應這種事。」

嘉蒂雅立刻問：「你覺得頭暈嗎？」

「有一點。」

「那我來告訴你怎麼辦。乾脆叫你的技工把我固定在這裡，等你們到了餐廳，一切就緒之後，再讓它把我們放在一起。」

丹尼爾說：「我來下命令，以利亞夥伴。」

當他們抵達餐廳時，餐桌已經布置妥當。兩盤深褐色的濃湯不但冒著熱氣，裡面還翻滾著好些肉塊，此外餐桌正中央擺著好大一隻完整待切的烤雞。丹尼爾對服侍用餐的機器人說了幾句話，那機器人便以效率極佳的動作，將兩人的座位調到了餐桌同一側。

這個動作彷彿是個聯絡訊號，對面那堵牆似乎立刻向外移動，餐桌也似乎瞬間拉長了，而嘉蒂雅則出現在餐桌的另一頭。兩個房間彼此完美相接，兩張餐桌也一樣，若非雙方的牆壁和地板花色不同，以及兩組餐具大異其趣，很容易令人相信他們三人真正聚在一起用餐。

「又見面了。」嘉蒂雅滿意地說：「這樣是不是很舒服？」

「還不錯。」貝萊答道。他謹慎地淺嚐了一點湯，發覺很好喝，隨即替自己裝了一大碗。「你聽說葛魯爾局長的事了？」

她立刻臉色一沉，放下了湯匙。「很可怕，不是嗎？可憐的漢尼斯。」

「你直呼他的名字，你認識他嗎？」

「索拉利上的重要人物我幾乎都認識。索拉利人大多彼此相識，這是很自然的事。」

的確很自然，貝萊心想。畢竟，他們總共才多少人哪？

貝萊說：「那麼或許你也認識亞丁．索爾醫生，正在看顧葛魯爾的那位。」

嘉蒂雅輕聲笑了笑。這時，服侍用餐的機器人切下了一片肉，在旁邊配上金黃色的薯條和胡蘿蔔片。「我當然認識他，他替我治療過。」

「什麼時候的事？」

「就在那——那個意外之後。我是指我丈夫的意外。」

貝萊萬分驚訝地說：「他是這星球上唯一的醫生嗎？」

「喔不。」只見她嘴唇蠕動了一陣子，彷彿正在默數人數。「醫生至少有十位。我還知道有個正在學醫的年輕人。但索爾醫生是最好的一位，他的經驗最老到。可憐的索爾醫生。」

「為什麼可憐？」

「嗯，你該知道我的意思。醫生是個多麼骯髒的職業啊。有時你一定需要見到病人，甚至摸到他們。可是索爾醫生似乎甘之如飴，當他覺得有必要時，總是親自去見病人。打從我還是小女孩，他就一直替我看病，而且一向都很友善很親切。如果他不得不見我，老實說，我覺得自己幾乎不會介意。比方說，這回他就見到我了。」

「你是指，在你丈夫死後？」

「是的。當他親眼見到我丈夫的遺體，還有我躺在旁邊時，你應該能想像他做何感受。」

「我聽說他是透過顯像見到遺體的。」貝萊說。

「這話沒錯。但等到他確定我還活著，而且並無大礙，他便命令機器人在我腦後放個枕頭，再替我打了一針不知什麼藥劑，然後他就出門了。他是坐噴射機來的，真的，噴射機！不到半小時，他就開始親自照顧我，確保我一切安然無事。當我甦醒的時候，頭腦還不太清楚，以為只是透過顯像見到他，你懂吧，直到他碰到了我，我才明白自己正和他面對面，嚇得我失聲尖叫。可憐的索爾醫生，他尷尬死了，但我知道他是好意。」

貝萊點了點頭。「我想，醫生在索拉利派不上什麼用場吧？」

「我也這麼希望。」

「我知道這裡並沒有微生物導致的疾病。但新陳代謝方面的病症呢？例如動脈硬化？例如糖尿病等等？」

「的確有的，而且一旦染上就很可怕。醫生可以設法改善這些病人的生活品質，但其他方面就束手無策了。」

「喔？」

「沒什麼好奇怪的。這意味著基因分析還不夠完善。你該不會以為我們刻意讓糖尿病之類的缺陷代代相傳吧。凡是出現這類症狀的人，必須接受非常仔細的追蹤分析。他們的配偶則會遭到重新指派，對那些配偶而言，這是難堪之極的事。而這也代表不會……不會有……」她的聲音變得有如耳語，「子女。」

貝萊以正常的音量說：「不會有子女？」

嘉蒂雅臉紅了。「這兩個字，真是難以啟口啊！子——子女！」

「多說幾次就容易了。」貝萊半開玩笑道。

「沒錯，但如果我說習慣了，改天就會在其他索拉利人面前脫口而出，那會令我羞愧得無地自容……總之，如果兩人已經有了子女——瞧，我又說了一次——就得把子女一個個找出來，讓他們一一接受檢驗——對了，這就是瑞坎恩的工作之一——唉，反正麻煩得很。」

關於這個索爾，貝萊心想，問到這裡就行了。這位醫生的無能是這個社會的自然產物，並非他個人心術不正。沒必要認為他心術不正。刪掉他吧，貝萊想，可是別忘掉。

他望著正在用餐的嘉蒂雅。她的動作流暢而優雅，她的胃口似乎也算正常。（他自己桌上的烤雞也很好吃。總之，至少就食物而言，他很容易會被外圍世界慣壞了。）

他又問：「你對下毒這件事有什麼看法，嘉蒂雅？」

她抬起頭來。「我盡量不去想這件事，最近可怕的事情太多了。或許並不是下毒。」

「是下毒。」

「可是附近沒有人啊。」

「你怎麼知道？」

「不可能有人的。目前他並沒有妻子，因為他已經用完配額，不能再有子……你知道我的意思。既然不會有任何人下毒，他又怎麼可能中毒呢？」

「但他的確中毒了。這是我們必須接受的事實。」

她的眼神變得迷濛。「你是否認為，」她說：「是他自己服毒自殺的？」

「我不信。他為何要那麼做？而且如此公開進行？」

「那就沒有其他可能了，以利亞，不可能有了。」

貝萊說：「剛好相反，嘉蒂雅。想要下毒非常容易，而且我確定自己已經完全想通了。」

第八章　太空族

一時之間，嘉蒂雅似乎屏住了氣息。然後她噘著嘴，幾乎像是吹口哨般呼出這口氣。「我可以肯定我真的想不通。你知道是誰幹的嗎？」她說。

貝萊點了點頭。「就是殺害你丈夫的那個兇手。」

「你肯定嗎？」

「你懷疑嗎？你丈夫的兇案是索拉利有史以來第一樁，而一個月之後，又發生了另一樁謀殺。這有可能是巧合嗎？在一個零犯罪率的世界上，短短一個月內，竟然發生兩件獨立的謀殺案？更何況，第二案的受害者正在調查第一個案子，當然給那個兇手帶來極大的威脅。」

「好吧！」嘉蒂雅開始吃甜點，吃了幾口之後又說：「如果照你這麼講，我就是無辜的。」

「怎麼說呢，嘉蒂雅？」

「唉，以利亞。我從未接近過葛魯爾的屬地，這輩子從來沒有，所以我當然無法毒害葛魯爾局長。而如果我沒……唉，那我也並未殺害我丈夫。」

然後，由於貝萊保持著堅定的沉默，她彷彿洩了氣般，嘴角的笑容也垮了下來。「你不這麼想嗎，以利亞？」

「我無法肯定。」貝萊說：「我已經告訴你，我知道兇手是用什麼方法毒害葛魯爾的。方法相當高明，任何一個在索拉利上的人都做得到，而且不一定要置身葛魯爾的屬地，甚至不一定要曾經到過葛魯爾的屬地。」

嘉蒂雅將雙手用力攥起來。「你是說我就是兇手？」

「我沒有這麼說。」

「你在這麼暗示。」她氣得緊緊抿起嘴巴，高聳的顴骨也一陣紅一陣青。「你和我見面就是為了這個嗎？為了問我這些狡猾的問題？為了陷我入罪？」

「慢著……」

「你表現得那麼有同情心，那麼善解人意。你──你這個地球人！」

說到最後，她低沉的嗓音變成了粗嘎的哀嚎。

丹尼爾將俊美的臉孔伸向嘉蒂雅，說道：「抱歉打個岔，德拉瑪夫人，你正緊抓著一把刀，很可能會傷了自己。請務必小心。」

嘉蒂雅氣呼呼地瞪著手中那把又短又鈍、不太可能造成傷害的刀子。猛然間，她將那把刀高高舉起。

貝萊說：「你碰不到我的，嘉蒂雅。」

她喘著氣說：「誰要碰到你？呸！」她渾身發抖，像是厭惡至於極點。「立刻切斷聯繫！」她高聲喊道。

最後那句話一定是對視線外的機器人說的。下一刻，嘉蒂雅和她的房間便消失了，原來的那面牆又跳了出來。

丹尼爾說：「你開始懷疑這位女士就是兇手，我這麼想對不對？」

「不對。」貝萊斷然道，「無論兇手是誰，他的某些人格特質都遠超過這個可憐的女孩。」

「她脾氣不好。」

「那又怎樣？大多數人脾氣都不好。別忘了，她承受著很大的心理壓力，而且有很長一段時間了。如果換成是我承受這樣的壓力，當有人以這麼容易引起誤會的方式質問我時，我的反應可能會比揮動一把小餐刀激烈許多倍。」

丹尼爾說：「你說你想到了遠距離下毒的手法，可是我還推理不出來。」

「我知道你做不到。這個謎太特殊了，你剛好欠缺破解它的能力。」能夠這麼說，貝萊覺得沾沾自喜。

他說得斬釘截鐵，丹尼爾則以一貫的冷靜和嚴肅態度接受了這個說法。

貝萊又說：「我要你做兩件事，丹尼爾。」

「哪兩件事，以利亞夥伴？」

「首先，聯絡那位索爾醫生，問清楚德拉瑪夫人在她丈夫遇害之後的身體狀況，例如需要接受多久的治療等等。」

「你有什麼特別想要確定的事嗎？」

「沒有，我只是在蒐集資料而已。在這個世界上，這並非一件容易的事。而第二件工作，是查出葛魯爾的安全局長職位由誰接替，然後安排我明天一大早便和他進行顯像會談。至於我自己，」這麼說的時候，他的心裡和聲音中都並不怎麼高興。「我要就寢了，希望好歹能睡一會兒。」然後，他像是無緣無故發了火。「你認為這裡找得到一本像樣的膠捲書嗎？」

丹尼爾說：「我建議你召喚管理藏書的機器人來。」

每當不得不和機器人打交道，貝萊總會覺得惱怒。若有任何選擇的餘地，他寧願自己隨意瀏覽一番。

「不，」他說：「不要古典文學，我只想讀普通的小說，而且內容要跟當今索拉利日常生活有關。給我五、六本吧。」

那機器人（只好）讓步了，但它還是繼續以恭敬的語氣，喋喋不休地細數著書庫中其他種類的藏書。與此同時，它的雙手並未閒著，一直在操縱著相關裝置，將一本本膠捲書從架上取出來，移到出口槽中，再轉到貝萊手裡。

比方說，它建議主人也許可以考慮探索時代的冒險小說，或是有著原子模型動畫的精美化學圖鑑，或是奇幻小說，或是銀河地理方面的書籍。這裡的藏書簡直無窮無盡。

貝萊繃著臉接過六本小說，說道：「這些就行了。」他伸出雙手（終於能自己動手了）拿起一個掃瞄儀，便離開了藏書室。

機器人卻跟在他後面問：「你是否需要我幫忙調整儀器，主人？」貝萊轉身吼道：「不必，給我乖乖待在原地。」

機器人停下腳步，鞠了一個躬。

等到他躺在床上，開啟了床頭燈之後，貝萊對自己的決定有點後悔了。他從未用過這種類型的掃瞄儀，剛開始的時候，他完全不知道該如何插進膠捲書。但他並未輕言放棄，最後把掃瞄儀整個拆開，將各個零件逐一檢視一番，總算研究出一點端倪。

至少，現在他能閱覽這些書了。如果焦距不甚理想，就算是他暫時擺脫機器人所付出的小小代價吧。

接下來一個半小時，他把其中四本書匆匆瀏覽了一遍，覺得相當失望。

他原本有個理論，認為若想深入瞭解索拉利的生活方式，最好的辦法就是讀他們的小說。想要進行有效的調查，這種深入瞭解是不可或缺的。

可是現在，他不得不放棄這個理論了。從這幾本小說中，他只讀到一些荒謬的人生問題，而在面對這些難題時，小說人物一律表現得既愚蠢又令人費解。當女主角發現她的子女選擇了和自己相同的職業，竟然就放棄她的工作，直到事情鬧到不可收拾的地步，她才勉強說明緣由，這到底是為什麼？一名醫生和一名藝術家被指派為配偶，兩人有什麼好羞愧的？那名醫生後來堅持要改行研究機器人學，這個決定又高尚在哪裡？

他將第五本書插進掃瞄儀，調整好了焦距。這時他已疲憊不堪。

事實上，他累到完全忘記那本書寫了些什麼（他認為應該是一本懸疑小說），只記得一開始的時候，某個屬地的新主人走進自己的宅邸，遇到一個恭順的機器人，請他閱覽這個屬地的相關記錄。

想必看到這裡他就睡著了，當時他手中還握著掃瞄儀，而房間還燈火通明。想必有個機器人恭恭敬敬地走進來，輕手輕腳地拿走掃瞄儀，並關上了燈。

總之他睡著了，而且夢到了潔西。夢中的他回到了過去，當時他還沒有離開地球。他們正準備前往社區食堂，然後打算和朋友一起觀賞次乙太節目。他倆將搭乘捷運，將會遇見很多人。他和她都對世事毫無牽掛，他覺得很快樂。

夢中的潔西很漂亮，而且竟然瘦了不少。她怎麼會如此苗條，如此美麗呢？

只有一件事不對勁，陽光竟然向他們灑下來。他抬頭向上望，視線僅僅達到上一層的拱形底部，但陽光還是灑下來，照亮了萬事萬物，誰也沒有感到害怕。

醒來之後，貝萊覺得心煩意亂。他接過機器人送來的早餐，但並未開口和丹尼爾交談。他什麼也沒說，什麼也沒問，就連那杯上好的咖啡，他也只是食不知味地一口吞下去。

怎麼會夢見一個似有若無的太陽呢？他能瞭解自己為何夢到地球和潔西，但太陽算哪門子呢？而且為何一想到這個夢，自己就會心神不寧？

「以利亞夥伴。」丹尼爾輕聲喚道。

「什麼事？」

「半小時後，考文．亞特比希會跟你進行顯像會談。我已經安排好了。」

「這個叫考文什麼的是哪裡蹦出來的？」貝萊厲聲問道，然後又倒了一杯咖啡。

「他是葛魯爾局長的左右手，以利亞夥伴，現在是安全局的代理局長。」

「那就立刻聯絡他。」

「如我所說，會談安排在半小時之後。」

「我不管你怎麼安排，立刻聯絡他，這是命令。」

「我會試試看，以利亞夥伴。然而，他可能會拒絕顯像。」

「我們試試看吧，說做就做，丹尼爾。」

安全局的代理局長同意了顯像。自抵達索拉利以來，這還是貝萊首度見到一位地球人心目中的太空族。亞特比希身材又高又瘦，有著古銅色的頭髮、淡棕色的眼珠，以及一個巨大剛強的下巴。

他和丹尼爾有點神似。但丹尼爾太過完美，幾乎像是神族，而考文．亞特比希臉上則有著凡人的輪廓。

這時亞特比希正在修面，磨鬍筆將特殊微粒不斷噴灑到他的雙頰和下巴，把鬍鬚齊根磨斷，然後這些微粒便化作輕煙消失了。

貝萊雖然從未用過這種裝置，但好歹聽說過，所以一眼就認了出來。

「你是地球人？」亞特比希上唇沾滿磨鬍粉，幾乎是抿著嘴迸出這句話的。

貝萊說：「我是以利亞．貝萊，C7級便衣刑警。是的，我來自地球。」

「你提前了。」亞特比希猛然關上磨鬍筆，將它丟到貝萊的視線之外。「有何貴幹，地球人？」

即使是在心情最好的時候，貝萊也難以消受這樣的口氣，更何況他現在一肚子火。他說：「葛魯爾局長情況如何？」

亞特比希說：「他還活著，很可能活得下來。」

貝萊點了點頭。「下毒殺害葛魯爾的索拉利人缺乏經驗，搞不清劑量。他們用了太多毒藥，反倒讓他吐了出來。一半的劑量就足以毒死他。」

「下毒？沒有這方面的證據吧。」

貝萊瞪大眼睛。「耶和華啊！不是下毒還是什麼？」

「有很多種可能。人的身體處處都會出毛病。」他用手指在臉上來回摩挲，摸索著沒刮乾淨的地方。「你大概不知道，一個人超過兩百五十歲之後，會有多少新陳代謝方面的問題。」

「如果真是這樣，可有合格的醫療診斷？」

「索爾醫生的報告……」

這句話是最後一根稻草，一大早就在貝萊心中翻騰的怒火終於爆發了。他以最大的音量吼道：「我可不管那個什麼索爾醫生，我是指合格的醫療診斷。你們的醫生和你們的警探一樣什麼都不懂，只不過你們根本沒有警探。既然你們必須從地球請警探來，那就再請個醫生吧。」

這位索拉利人冷冷地望著他。「你是在指導我的行動嗎？」

「是的，而且完全免費，千萬別客氣。葛魯爾是遭人下毒，我親眼目睹全程經過。他喝了一口水，隨即邊吐邊喊喉嚨好燙。把這一幕和他正在進行的調查聯想在……」貝萊突然住了口。

「調查什麼？」亞特比希不為所動地反問。

貝萊察覺到丹尼爾照例和自己保持大約十英尺的距離，不禁暗叫一聲糟。葛魯爾不想讓丹尼爾這個奧羅拉人獲悉這項調查。他心虛地改口道：「一些政治糾紛。」

亞特比希雙臂交握胸前，顯得既不關心又不耐煩，還帶著淡淡的敵意。「別的世界上那些所謂的政治問題，我們索拉利通通沒有。漢尼斯·葛魯爾是個好公民，可是他想像力太豐富。聽說你的事蹟之後，他就大力主張把你找來，甚至願意接受附送一個奧羅拉人這樣的條件。我認為根本沒有這個必要，這件事毫無神祕可言。瑞坎恩·德拉瑪是被他妻子殺害的，我們終究會查出本案的動機和方法。即使我們查不出來，仍會要求她接受基因分析，然後採取必要的措施。至於葛魯爾中毒這件事，純粹只是你的幻想罷了。」

貝萊以難以置信的口吻說：「你似乎在暗示這兒不需要我了。」

「我的確這麼想。如果你想返回地球，隨時可以動身。我甚至會說，我們勸你趕緊走。」

貝萊吼道：「不，局長，我不走。」這句話脫口而出，連他自己都驚訝不已。

「我們既然雇用你，便衣刑警，就有權將你解雇。我們會把你送回你的母星去。」

「不！你給我聽好，我建議你豎起耳朵來。你是個尊貴的太空族，而我只是地球人，但請恕我直言，我先向你致上最深最虔敬的歉意，因為我要說——你心存恐懼。」

「收回這句話！」亞特比希挺直了六呎多的身軀，傲慢地俯視這個地球人。

「你恐懼得要死。你認為如果繼續追查下去，自己會是下一個受害者。你打算放棄，好讓他們放你一馬，好讓他們容許你繼續苟活。」貝萊對於所謂的「他們」其實並無概念，甚至不確定「他們」是否真正存在。他只是憑藉直覺舌戰這名高傲的太空族，而他很高興看到自己的言語嚇得對方逐漸失去自制力。

「一小時之內，」亞特比希氣得指著貝萊的鼻子，「我就會把你送走。沒有任何外交禮儀或外交慣例能阻止我，我向你保證。」

「別再威脅我了，太空族。我承認，你可以不把地球放在眼裡，但我並非一個人來的。讓我介紹一下我的搭檔，來自奧羅拉的丹尼爾．奧利瓦。他這個人沉默寡言，因為他不是來這裡說話的，這方面由我負責。不過，他聽得可仔細呢，一個字都不會放過。

「我就打開天窗說亮話吧，亞特比希——」貝萊懶得再冠上什麼局長的頭銜，「不論索拉利正在上演什麼戲碼，奧羅拉和其他四十幾個外圍世界都很感興趣。如果你把我們趕走，下一批來訪索拉利的可就是星際戰艦了。我來自地球，我瞭解這種事怎麼運作。一旦傷了感情，別人就會帶著戰艦找上門來。」

亞特比希將目光轉移到丹尼爾身上，心中似乎正在盤算。「這裡所發生的每一件事，都和任何外星人士沒有關係。」他的口氣比較溫和了。

「葛魯爾並不這麼想，我的搭檔聽他親口說過。」這時撒個小謊無傷大雅。最後那句話令丹尼爾不禁轉頭望向他，但貝萊裝作沒看見，繼續說下去：「我打算接手這項調查。照理說，我會無所不用其極地設法回地球去。光是想到這件事，便會令我熱血沸騰坐立難安。即使這座塞滿機器人的宮殿是我個人的財產，甚至整個索拉利都屬於我的，我也願意拿它換一張回家的船票。

「但是你不能命令我離去。當我手上還有一件沒偵破的案子，你絕對趕不走我。如果你敢那麼做，一旦你抬起頭，立刻會看到來自太空的火砲。

「還有，從現在起，這個案子的調查工作要照我的方式進行。我要當家作主。凡是我想見的人，我都要見到。我是說見到本人，而不是透過顯像。我習慣面對面進行調查，從今以後一律要這麼做。以上這些事，我要你們的安全局通通正式批准。」

「這是不可能的，簡直是奇恥大辱……」

「丹尼爾，你跟他說。」

這個人形機器人以不帶情緒的聲音說：「正如我的搭檔向你強調的，亞特比希局長，我們受邀到這裡來，是來調查一樁謀殺案。我們一定要盡力完成這項任務。當然，我們不希望妨害你們的習俗，或許實際面對面的確沒必要，但為了有助於我們的調查，還是希望你能批准在便衣刑警貝萊提出要求的情況下，允許我們真正見到對方。至於逼我們離開索拉利這件事，我們期期以為不可。如果我們留在索拉利會讓你或任何索拉利人感到不滿，我們也只能說抱歉了。」

貝萊扁著嘴，帶著似笑非笑的表情聆聽這段彷彿演說的言論。對於知道丹尼爾真實身份的人而言，他說這番話只是為了盡忠職守，絕對無意冒犯任何人，無論是貝萊還是亞特比希。然而，如果有人以為丹尼爾是奧羅拉公民——來自外圍世界中最古老、軍事力量最強的世界——這番話聽起來就像一連串彬彬有禮的威脅。

亞特比希用手指輕按著額頭。「讓我考慮一下。」

「別考慮太久。」貝萊說：「因為我一小時內就要動身，我要親訪當事人，而不是用顯像儀。顯像結束！」

他對機器人做了一個切斷聯繫的手勢，然後帶著驚喜交集的心情望著亞特比希剛才顯像的地方。一切都並非計畫之中的事，而是被昨晚那場夢以及亞特比希無端的傲慢逼出來的。但既然發生了，他覺得很高興。這正是他想要的，真正掌握主導權。

貝萊心想：無論如何，給了那醜惡的太空族一點顏色看！

他多麼希望每個地球人都能親眼目睹這一幕。那傢伙怎麼看怎麼像太空族，這樣效果當然更好，更好得多了。

只不過，自己為何那麼熱中於親自造訪？貝萊簡直想不通。他知道自己在打什麼主意，而面對面進行調查（並非透過顯像）是其中的一部分。好吧。可是，剛才談到要親自造訪時，他感到精神為之一振，彷彿已經準備拆掉這座宅邸的圍牆，縱使這麼做毫無意義。

為什麼呢？

除了這件案子之外，還有另一股力量正在驅使他，而這股力量甚至和地球的安危無關。但那究竟是什麼呢？

說也奇怪，他又記起了那個夢：在地球的一座座地底大城中，陽光穿過了一層又一層不透明的樓板。

丹尼爾以深思熟慮的口吻說：「我懷疑，以利亞夥伴，這麼做真的沒有安全顧慮嗎？」他的聲音已經盡可能透出感情。

「恫嚇這號人物？奏效了啊。而且這並非真正的恫嚇。我相信奧羅拉亟需查出索拉利上到底在醞釀什麼，而奧羅拉也明白這一點。對了，謝謝你剛才沒拆穿我的謊話。」

「這是很自然的決定。替你背書只會對亞特比希局長造成一點無形的傷害，可是如果戳破你的謊言，則會對你造成較大而且比較直接的傷害。」

「兩種電位針鋒相對時，較高的電位勝出，呃，丹尼爾？」

「正是這樣，以利亞夥伴。據我瞭解，人類的心靈也會這樣運作，只是無法定義得那麼明確。然而，我再說一遍，你提出的這個新方案並不安全。」

「什麼新方案？」

「我不贊同你放棄顯像，改採親自造訪的方式。」

「我瞭解你的意思，但我並未要求你贊同我。」

「我是奉命行事，以利亞夥伴。昨晚我不在的時候，漢尼斯．葛魯爾局長究竟對你說了些什麼，我無從知曉。但他顯然對你說了一件事，因為你對這件案子的態度有了很大的轉變。然而，對照我所肩負的使命，我便不難猜到了。他一定是對你提出警告，如果索拉利目前的局勢繼續發展下去，有可能危及到其他世界。」

貝萊慢慢摸索著自己的菸斗。他不時仍有這個動作，但每當他恍然大悟，想起自己根本不能抽菸，身上也沒有菸斗，就總是感到一肚子火。他說：「索拉利只有兩萬人，能帶來什麼威脅？」

「我的那些奧羅拉主人，他們擔心索拉利已經有些時日了。顯然他們掌握了一些情報，但沒有完全告訴我……」

「而你雖然多少知道一點，卻奉命不得對我轉述，對不對？」貝萊追問。

丹尼爾說：「必須先查清過好些事情，我才能毫無顧忌地談論這個問題。」

「好吧，索拉利人到底在做什麼呢？發展新武器？進行顛覆？計畫刺殺某個重要人物？面對好幾億的太空族，兩萬人能起什麼作用呢？」

丹尼爾並未回答。

貝萊又說：「我打算查個水落石出，知道吧。」

「但並非使用你提議的方式，以利亞夥伴。奧羅拉主人對我千叮萬囑，要我務必保護你的安全。」

「你無論如何得這麼做。這是第一法則！」

「不只第一法則而已。在無法兼顧時，我必須保護你，而不是其他任何人。」

「當然，這我瞭解。如果我有任何不測，你想繼續留在索拉利可就難了，而奧羅拉尚未準備好面對這種複雜的情勢。只要我還活著，就是索拉利的貴賓，若有必要，我們可以盡量強調自己的重要性，讓他們捨不得放我們走。萬一我死了，整個情勢也就變了。所以說，你的命令是讓貝萊活著。我說得對嗎，丹尼爾？」

丹尼爾說：「我不能擅自解釋這些命令背後的意義。」

貝萊說：「好啦，別擔心。如果我覺得有必要造訪某人，開放空間還不至於要我的命。我死不了，甚至會慢慢習慣戶外。」

「問題不只是開放空間而已，以利亞夥伴。」丹尼爾說：「主要問題在於面見索拉利人，這點我無法贊同。」

「你的意思是那些太空族會不高興。那算他們倒楣。讓他們戴著手套、插著濾器，讓他們去消毒空氣吧。如果和我見面有違他們的善良風俗，讓他們去面紅耳赤吧。反正我已決心親自造訪他們。我認為有必要這麼做，而且一定會這麼做。」

「但我無法允許你這麼做。」

「你無法允許我？」

「你當然明白為什麼，以利亞夥伴。」

「我不明白。」

「那麼請你想想，那位葛魯爾局長——索拉利上負責調查那樁謀殺案的主要人物——如今已遭到毒殺。如果我允許你執行你的計畫，任意將自己暴露在他人面前，那麼可想而知，下一個受害者必定是你自己。所以說，我怎麼可能允許你脫離這座宅邸的保護呢？」

「你要怎麼阻止我，丹尼爾？」

「若有必要我會出手，以利亞夥伴。」丹尼爾心平氣和地說：「即使傷害到你也在所不惜。如果我不這麼做，你一定會沒命的。」

第九章　人形機器人

貝萊道：「所以又是較高的電位勝出，丹尼爾。為了避免我喪命，你會不惜傷害我。」

「我相信並不需要做到這一步，以利亞夥伴。你明明知道我比你強壯，所以不會想做無謂的抵抗。然而，如果真有必要，那我也不得不傷害你。」

「我能拔出手銃，」貝萊說：「當場把你轟掉！我腦中可沒什麼電位阻止我。」

「我早已料到在這次合作過程中，你遲早有可能跟我翻臉，以利亞夥伴。說得更明確些，我是前天想到的，當時我們正搭地面車趕來這裡，而你突然有了激烈的動作。相較於你的安全，我的存亡無關緊要，但如果你毀了我，自己終究會惹禍上身，進而干擾到我的主人所制定的計畫。因此之故，在你首次進入睡眠週期之際，我就第一時間將你的手銃放了電。」

貝萊緊緊抿著嘴唇。他竟然帶著一柄沒電的手銃！他的手立刻滑向皮套，取出那柄武器。一看電量讀數，果然不偏不倚指著零。

他將那柄形同廢鐵的武器抓在手中掂了又掂，彷彿隨時會朝丹尼爾臉上砸去。又有什麼用呢？這機器人一定閃得開。

貝萊收起手銃。稍後充飽電，它就不再是廢鐵了。然後，他慢慢地、若有所思地說：「你並沒有騙倒我，丹尼爾。」

「怎麼說，以利亞夥伴？」

「你太像主人了，我幾乎完全受制於你。你真是機器人嗎？」

「你以前也懷疑過我。」丹尼爾說。

「去年在地球上，我曾懷疑機．丹尼爾．奧利瓦是否真的是機器人。結果答案是肯定的，而我仍舊這麼相信。然而，我現在的問題是：你真是機．丹尼爾．奧利瓦嗎？」

「真的是。」

「是嗎？丹尼爾被設計得盡可能模仿太空族，那麼太空族又何嘗不能盡量模仿丹尼爾呢？」

「這麼做的原因是？」

「以便在這次調查中，發揮超越機器人的積極性和行動能力。但是藉著丹尼爾的角色，又能讓我誤以為自己在當家作主，如此便能安安穩穩地控制我。畢竟，你打算把我當成傀儡，所以我必須易於掌握。」

「你說的這些都並非事實，以利亞夥伴。」

「那麼，為何我們碰到的每一個索拉利人，通通把你當成人類？他們都是機器人專家，會那麼容易受騙嗎？於是我想到，怎麼會眾人皆錯而我獨對呢，更可能許多倍的情形，應該是眾人皆對而我獨錯吧。」

「絕非如此，以利亞夥伴。」

「證明給我看。」貝萊一面說，一面慢慢走向一張茶几，掀開其中的垃圾處理器。「如果你是機器人，這對你而言太容易了。讓我看看你肌膚下面的金屬。」

丹尼爾說：「我向你保證……」

「讓我看。」貝萊說得很乾脆，「這是命令！還是你覺得不一定得服從命令？」

丹尼爾解開了上衣，只見古銅色皮膚上覆蓋著稀疏的胸毛。丹尼爾在右乳下方用力一按，胸前的皮膚和肌肉隨即齊中裂開，裡面的金屬光澤隱約可見，絕非任何鮮血淋漓的畫面。

就在這個時候，貝萊將放在茶几上的手向右移半英寸，砸向一個觸控片。幾乎立刻有個機器人走了進來。

「別動，丹尼爾。」貝萊吼道，「這是命令！給我定住！」

丹尼爾一動不動地站在那裡，彷彿他的生命（或說模擬的機器生命）在瞬間消失了。

貝萊對那個機器人喊道：「你若不移動腳步，能不能再找兩個同伴來這裡？如果可以，趕快進行。」

那機器人說：「可以的，主人。」

不久便進來兩個接到無線電召喚的機器人。三個機器人並肩站成一排。

「小子們！」貝萊說：「有沒有看到這個原本你們以為是主人的傢伙？」

六隻紅眼睛鄭重其事地轉向丹尼爾。「我們看到他了，主人。」它們齊聲道。

貝萊又說：「你們是否也看出來，這個所謂的主人其實和你們一樣是機器人，因為它也是金屬之軀。它只是被設計成好像真人。」

「是的，主人。」

「你們並不需要服從它所下的命令，瞭解嗎？」

「瞭解，主人。」

「話說回來，我，」貝萊說：「是真正的人類。」

三個機器人遲疑了一下。貝萊不禁擔心，讓它們見識到那麼像真人的機器人之後，它們還會不會把任何具有人形的東西當成人類。

好在其中一個機器人終於說：「你是人類，主人。」貝萊這才喘了一口氣。

他說：「很好。丹尼爾，你可以動動了。」

丹尼爾換了一個比較自然的姿勢，平靜地說：「我想，剛才你對我的身份表示懷疑，其實只是幌子，目的是要向其他機器人揭露我的本來面目。」

「的確如此。」貝萊說完便別過頭去。他在心中告訴自己：這東西是機器，不是人，談不上欺騙不欺騙。

但他無法完全壓抑心中的羞愧。縱使丹尼爾敞開胸膛站在那裡，他還是或多或少像個真人，或多或少令人不忍背叛他。

貝萊說：「闔上你的胸膛，丹尼爾，然後聽我說。就氣力而言，你敵不過這三個機器人。這點你也明白，是嗎？」

「這很明顯，以利亞夥伴。」

「很好！……小子們聽著，」他再度轉向那三個機器人，「不准你們對任何同類，或任何主人，提到這傢伙是機器人。任何時候都不行，而且從今以後，只有我才能解除這個命令。」

「感謝你。」丹尼爾輕聲插嘴道。

「然而，」貝萊繼續說：「我不容許這個像人的機器人以任何方式干涉我的行動。萬一它試圖對我進行干涉，你們就出手制住他，但除非有絕對必要，千萬別傷了它。除了我之外，不准它和其他人聯絡，除了你們之外，不准它和其他機器人說話，無論面對面或顯像都不行。還有無論任何時候，都不能讓它脫離你們的視線。把它留在這個房間，你們三個也一樣。在接到後續命令之前，你們的其他職務都暫時解除。我所說的都聽清楚了嗎？」

「清楚了，主人。」它們齊聲應道。

貝萊又轉身面對著丹尼爾。「你現在什麼也不能做，別再試圖阻止我了。」

丹尼爾任由雙臂鬆垮地垂下來。「我絕不能由於不作為而使你受到傷害，以利亞夥伴。但在目前這種情況下，我只能選擇不作為。這個邏輯是無懈可擊的，所以我什麼也不會做。我相信你會自求多福，會安然無恙。」

這就對了，貝萊心想。邏輯就是邏輯，機器人除了邏輯什麼也不懂，而邏輯告訴丹尼爾他完全無計可施。另一方面，理性或許會告訴他一切變數都是難以預料的，對方說不定也可能犯錯。

丹尼爾並未想到這一層。機器人只懂邏輯，卻欠缺理性。

貝萊再度感到羞愧難當，忍不住試圖出言安慰。「聽好，丹尼爾，就算我深入險境，雖說事實並非如此，」他趕緊補上這一句，並飛快瞄了其他機器人一眼。「那也是我分內的工作，是我的職責所在。正如你必須保護每個人類，我的工作是要避免人類整體受到傷害，你明白嗎？」

「我不明白，以利亞夥伴。」

「那是因為你有先天的限制。相信我，如果你是人類，一定會明白的。」

丹尼爾低下頭來，彷彿默認了這句話。當貝萊朝門口慢慢走去時，他仍舊一動不動地站在原地。另外三個機器人為貝萊讓出一條路，但他們的光電眼始終緊盯著丹尼爾。

貝萊覺得自己正一步步走向自由，心跳也因此加快——不料突然停了一拍。原來他在門口看到另一個機器人，正朝這個房間走來。

出了什麼問題嗎？

「什麼事，小子？」他喝叱道。

「我奉命轉交一封信給你，主人，是從亞特比希代理局長的辦公室發來的。」

貝萊接過那個私人信囊，它立刻自動開啟，裡面的紙捲隨即攤開來（他並不驚訝。索拉利一定有他的指紋記錄，而這個信囊一定是利用他的指紋當開啟密碼）。

他將其上的工整字跡讀了一遍，長臉便流露出滿意的表情。那是批准他安排「面對面晤談」的官方許可，上面雖然註明必須受訪者同意，但同時也強調受訪者應盡可能配合「貝萊與奧利瓦探員」的行動。

亞特比希屈服了，他甚至把貝萊這個地球人的名字放在前面。這是個好兆頭，看來終於能以正常的方式進行調查了。

貝萊再度坐進空中交通工具，上次搭飛機還是他從紐約飛華盛頓那一趟。然而，這回有一點很不一樣，不但並非封閉式機艙，連窗戶都保持著透明狀態。

這是個晴朗的艷陽天，從貝萊的座位看出去，一扇扇窗戶好像一片片藍色的斑點。相當單調，不能帶來任何安全感。他強迫自己別縮成一團，直到實在受不了的時候，他才把頭埋在雙膝之間。

這種活罪是他自找的。他覺得自己打了勝仗，先後擊敗了亞特比希和丹尼爾，爭取到了寶貴的自由，並在太空族面前保住了地球的尊嚴，這些戰果在在要求他更上一層樓。

而他邁出的第一步，就是直接走向等在戶外的飛機，雖然感到有點頭昏眼花，但他甘之如飴。然後，他彷彿被過度的自信沖昏了頭，下令每扇窗戶都要保持原狀。

我必須設法習慣戶外，他這麼想。於是他開始盯著窗外的藍天，直到心跳加速、喉頭腫脹到再也受不了的程度。

他不得不越來越頻繁地閉起眼睛，並用雙手緊緊護著頭。他的自信一點一滴逐漸溜走，即使頻頻觸摸手銃皮套也無濟於事。

他試著將心思放在作戰計畫上。首先，熟悉這個世界的運作方式。畫出一張藍圖，弄清每件事物的定位，一切才會合情合理。

求助社會學家吧！

於是他問機器人，誰是索拉利上最有名望的社會學家。機器人就有這點好處，它們不會質疑任何問題。

那機器人告訴他一個名字，外加此人的基本資料，頓了頓之後，機器人又補充道：那位社會學家很可能正在吃午餐，因此或許會要求稍後再聯絡。

「午餐！」貝萊厲聲道，「別開玩笑了，距離中午還有兩小時。」

那機器人說：「我用當地時間算的，主人。」

貝萊怒目而視，但不久便想通了。地球上的大城一律深埋地底，所謂的晝夜或醒睡週期都是人工制定的，以便配合當地社區與整個地球的需要。反之，在索拉利這種裸露於陽光的行星上，晝夜完全不能自由選擇，而是強行加在人類頭上的。

貝萊試著設想一個畫面：一顆行星不斷旋轉，各個角落時明時暗。他發覺實在難以想像，不禁有點瞧不起這些萬分優越的太空族了——時間是多麼重要的一件事，他們竟然甘願將主導權交給行星的自然運轉。

他說：「聯絡他就對了。」

飛機著陸時，已有好些機器人在等候。貝萊一走進開放空間，立刻發覺自己抖得很厲害。

他對身旁的機器人低聲說：「小子，讓我抓著你的手臂。」

在一條長廊的盡頭，那位社會學家帶著僵硬的笑容等著他。「午安，貝萊先生。」

貝萊一面喘氣，一面點頭致意。「晚安，閣下。可否請你把窗戶都遮起來？」

社會學家說：「已經遮起來了。我對地球的事物還算稍有瞭解。請跟我來好嗎？」

貝萊推開機器人，自己勉強邁開腳步，在遠遠落後主人的情況下，他在一座迷宮中穿梭了好一陣子。等到終於抵達一間又大又精緻的房間並坐定之後，他很高興總算有了休息的機會。

那房間的牆壁有著許多淺淺的弧形壁凹，裡面擺滿了粉紅和金色的雕像——全是抽象造型，雖然賞心悅目卻無法一眼看出任何意義。此外室內還有一個巨大的箱型物體，上面垂掛著好些白色的柱狀物，底下還有許多踏板，看來應該是某種樂器。

貝萊望著這位站在自己面前的社會學家。這位太空族的樣貌和稍早在顯像中一模一樣，又高又瘦，有著一頭雪白的銀髮。他的臉形極為尖削，鼻子很挺，雙眼凹陷但炯炯有神。

他的大名是安索莫．奎摩特。

兩人互望了一會兒，貝萊才確信自己的聲音大致恢復正常了。他說的第一句話和這項調查毫無關係，事實上，原本他從未打算這麼說。

他說：「可否給我一杯飲料？」

「飲料？」社會學家的聲音稍嫌高亢，聽起來並不怎麼悅耳。「你想喝水嗎？」他問道。

「我比較想喝點酒精飲料。」

社會學家的表情突然變得極不自然，彷彿他完全不瞭解地主之誼是怎麼一回事。

貝萊隨即想到，這倒是一點也不假。在一個無不使用顯像的世界上，誰也不會明白什麼是待客之道。

機器人為他端來一個琺瑯質的小杯子，裡面盛滿粉紅色的液體。貝萊小心翼翼地聞了聞，又更加小心地嚐了一口。那一小口隨即在他嘴裡暖暖地化開來，舒服的感覺一路沿著他的食道向下滑。下一口，他就不客氣了。

奎摩特說：「如果你還想要……」

「謝謝，暫時這樣就好了。博士，十分感謝你同意和我見面。」

奎摩特試著擠出一點笑容，但明顯地失敗了。「是啊。我已經好久沒有做這種事了。」

他幾乎是惴惴不安地說出這句話的。

貝萊說：「我猜這令你感到相當為難。」

「的確如此。」奎摩特猛然向後轉，走到房間盡頭一張椅子旁。然後，他將那張並未正對著貝萊的椅子轉得更偏了些，這才坐了下來。他那雙戴著手套的手彼此緊握，而他的鼻孔似乎在迅速掀動。

貝萊喝完了飲料，不但覺得四肢暖和起來，就連信心也恢復不少。

他問：「你坐在我對面到底是什麼感覺，奎摩特博士？」

社會學家喃喃道：「這是個非常私人的問題。」

「我知道。但我想我們稍早以顯像聯絡時我便解釋過，目前我正在調查一樁謀殺案，所以需要問的問題很多很多，其中勢必包含一些私人的問題。」

「我會盡量幫忙。」奎摩特說：「我希望你多問些體面的問題。」他說話的時候，雙眼仍然望著別處。偶爾他的視線掃到貝萊的臉孔，也會立刻滑到一旁，沒有絲毫停留。

貝萊說：「我之所以問你的感覺，並非單純基於好奇心。這對我的調查起著重大的作用。」

「我不懂這個道理。」

「我得盡可能試著瞭解這個世界，我必須知道索拉利人對日常事物的感受。這樣你懂了嗎？」

奎摩特現在完全沒有看著貝萊。他慢慢地說：「十年前，我的妻子去世了。和她見面一向不是多麼容易的事，可是，當然啦，我還是逐漸學著克服了，而她也不是那種令人受不了的人。我並未被指派另一個妻子，因為以我的年紀，我已經不能……不能……」他望著貝萊，彷彿希望他幫忙說下去，但貝萊並沒有開口，他只好壓低聲音繼續說：「不能生育了。既然連妻子都沒有，對於見面這種事，我就越來越不習慣了。」

「但你到底有什麼感覺呢？」貝萊堅持追問到底，「你會恐慌嗎？」他想到自己搭飛機的情形。

「不，不會恐慌。」奎摩特微微轉頭，瞥了貝萊一眼，然後幾乎立刻收回目光。「但我坦白對你說，貝萊先生，在我的想像中，我能聞到你的氣味。」

貝萊自然而然向後一仰，簡直羞得無地自容。「我的氣味？」

「當然是純屬想像。」奎摩特道，「我不敢說你到底有沒有氣味，或是氣味有多濃，但即使你真有很濃的氣味，我鼻孔中的濾器也不會讓我聞到。可是，想像……」他聳了聳肩。

「我瞭解。」

「想像之中的更糟。請原諒，貝萊先生，但有個活生生的人在我面前，我強烈地感到好像有什麼髒東西要碰到我。我一直不斷退縮，這種感覺令人太不愉快了。」

貝萊若有所思地撫弄著自己的耳朵，勉力壓住一肚子的怒火。畢竟，這只是對方對於一個單純現象的神經反應而已。

他說：「如果真是這樣，我很難想像你會這麼乾脆就答應見我。你當然預見了這些不愉快的反應。」

「沒錯。但你可知道，我也十分好奇，因為你是地球人。」

貝萊暗自苦笑，這對見面的意願應該只有扣分的作用，但他只是心中這麼想，嘴巴上卻說：「這又有什麼關係呢？」

奎摩特的聲音突然顯得興奮異常。「這種事我很難解釋清楚，不只對你，對我自己也一樣，真的。不過，我研究社會學已經有十年了，我是指真正投入。我發展出一些相當新穎、相當驚人的論點，但基本上都是對的。其中一個論點，讓我對地球和地球人產生非比尋常的興趣。你可知道，如果仔細觀察索拉利的社會結構和生活方式，你就不難發現，兩者顯然是直接從地球學來的，而且學得很像。」

第十章　文明

貝萊忍不住大叫：「什麼！」

接下來是一陣寂靜，然後奎摩特轉頭望了一眼，終於開口說：「不，我並不是指地球現在的文明。」

貝萊應道：「喔。」

「而是已經不存在的一種。身為地球人，對於地球的古代史，你當然不陌生吧。」

「我讀過幾本書。」貝萊謹慎地答道。

「啊，那你就應該瞭解。」

偏偏貝萊一點也不瞭解，他說：「讓我來解釋一下我到底想要什麼，奎摩特博士。我要你盡可能告訴我索拉利和其他外圍世界為何那麼不同，為何這裡有那麼多機器人，為何你們普遍有這些怪異的行徑。很抱歉，我似乎換了一個話題。」

其實貝萊是故意的。索拉利文明和地球文明的異同，無論哪方面都太有吸引力了。如果討論起這個問題，他很可能會在這裡泡上一整天，等到告辭離去的時候，卻完全沒蒐集到任何有用的資料。

奎摩特微微一笑。「你不想比較索拉利和地球，卻想拿索拉利和其他外圍世界比較一番。」

「我瞭解地球，博士。」

「隨你便吧。」這位索拉利人輕咳一聲，「我想把椅子整個轉過去背對著你，你不介意吧？這樣我會比較——比較自在。」

「隨你便吧，奎摩特博士。」貝萊硬邦邦地說。

「太好了。」奎摩特一聲令下，立刻有個機器人替他轉了椅子。等到這位社會學家再度坐下，或許由於椅背遮住了貝萊的目光，他的聲音變得比較有生氣，連語氣都比較強而有力了。

奎摩特開口道：「索拉利的開拓，最早是大約三百年前的事，最初的拓荒者是涅克松人。你熟悉涅克松這個世界嗎？」

「只怕不熟悉。」

「它距離索拉利很近，大約只有兩秒差距。事實上，在整個銀河中，找不到另一對像索拉利和涅克松這麼靠近的住人世界。而早在人類殖民之前，索拉利就是個生氣蓬勃的星球，極為適合人類居住。它對於相當富裕的涅克松顯然很有吸引力，因為涅克松人發覺母星已經人滿為患，難以繼續維持一定的生活水準。」

貝萊打岔道：「人滿為患？我以為太空族一直在實施人口控制。」

「你說的是索拉利，但一般而言，其他外圍世界控制得不算嚴格。在我所說的那個時代，涅克松的人口剛剛達到兩百萬。由於人數攀升，每家所能擁有的機器人數目必須受到規範。於是有能力的涅克松人開始在索拉利建造夏季別墅，因為那裡土壤肥沃，氣候溫和，而且沒有危險的動物。

「住在索拉利的那些移民仍能輕易來去涅克松，而在索拉利的時候，他們可以依照自己的喜好過日子。只要負擔得起，或覺得有需要，他們想用多少機器人都可以。他們的屬地也是想要多大都行，因為這是個空曠的行星，空間絕無問題，而機器人的數目沒有上限，代表拓荒的人手同樣不成問題。

「隨著機器人越來越多，必須以無線電彼此聯絡，這就開啟了我們著名的機器人工業。我們開始發展新的機型，新的配件，新的功能。文化為發明之母，我相信這句話是我發明的。」奎摩特呵呵笑了幾聲。

一個機器人為奎摩特端來一杯類似貝萊剛才喝的飲料，想必他曾以某種方式下達命令，但由於椅背的阻隔，貝萊並沒有看到。貝萊並未受到相同的待遇，而他也不打算爭取。

奎摩特繼續說：「索拉利式生活的優點顯然是有目共睹的。於是索拉利成了一種風潮。越來越多的涅克松人在這裡建立家園，於是索拉利成了我所謂的『別墅行星』。至於那些移民，他們有越來越多的人喜歡終年留在這個世界，而把他們在涅克松的事務交給代理人處理。機器人工業開始在索拉利建立起來。此外農產和礦產也逐年成長，終於到了能夠出口的程度。

「簡單地說，貝萊先生，當時人人都看得出來，不出一個世紀，索拉利就會變得像涅克松一樣擁擠。好不容易找到一個新世界，卻由於缺乏遠見而毀了它，這似乎太荒謬，也太可惜了。

「為了避免詳述複雜的政治背景，我只想強調一件事，索拉利後來設法取得了永久獨立的地位，而且完全沒有動武。索拉利特產的機器人成了我們的籌碼，為我們在外圍世界爭取到盟友，讓我們因而受惠。

「獨立後的當務之急，就是確保人口的增長不會超過合理的上限。我們開始管制移民數和生育率，並且盡量增加機器人的種類和數量，以便應付各種需要。」

奎摩特又開始高談闊論社會學，貝萊不禁大起反感，問道：「索拉利人為什麼不喜歡彼此見面呢？」

奎摩特從椅子後面偷瞄了一眼，幾乎立刻又把頭縮回去。「這是必然的結果。我們每個人的屬地都很大，一萬平方英里不算多麼稀罕，只不過越大的屬地就包含越多的不毛之地。我自己的屬地只有九百五十平方英里，但每一寸都是良田。

「無論如何，和其他因素比較起來，一個人的社會地位主要還是取決於他的屬地大小。龐大的屬地至少有一項優點，你能近乎漫無目標地在其中閒逛，卻不必擔心會走進隔鄰的屬地，因而撞見你的鄰居。你懂了嗎？」

貝萊聳了聳肩。「我想我懂了。」

「簡單地說，索拉利人以碰不到鄰居為傲。此外，你的屬地被機器人管理得井井有條，達到自給自足的境界，所以你也沒必要和鄰居碰面。這種心態導致我們發展出日趨完美的顯像裝置，而隨著這些裝置越來越精良，鄰居彼此見面的需要也就越來越少。這是一種反饋作用，是個良性循環。你瞭解嗎？」

貝萊說：「聽好，奎摩特博士，你不必為了怕我聽不懂，刻意說得那麼淺顯。我雖然不是社會學家，但我在大學修過一些基本課程。當然，那只是地球上的大學，」貝萊心不甘情不願地謙虛一番，以免對方用更刺耳的說法指出這個事實。「但這些數學我還懂。」

「你是說數學嗎？」奎摩特問，最後那個「嗎」字已近乎尖叫。

「嗯，我不是指用在機器人學上的數學，那些我並不懂，但社會學的關係式還難不倒我。比方說，我對特拉敏關係式就很熟。」

「警官，你說什麼？」

「或許你們用不同的名稱，就是將『大眾的不便』對『少數的特權』做微分，取到第N階……」

「你到底在說什麼啊？」貝萊很少聽到太空族以這麼嚴厲而蠻橫的語氣說話，令他一頭霧水，不知如何開口。

不用說，想要研究如何避免爆發民怨，就一定要充分瞭解「大眾的不便」和「少數的特權」之間的關係。如果由於某種原因，在公共浴室裡設立一個單人小間，便會導致X個人耐心等候相同的好運找上自己。X的數值會隨著環境因素和大眾情緒做規律的變化，而特拉敏關係式就是這個變化的定量描述。

話說回來，在一個人人都有特權，毫無任何不便的世界上，特拉敏關係式可能會退化成一加一等於二。他舉這個例子或許並不恰當。

於是他另起爐灶。「聽著，博士，關於索拉利人日漸討厭面對面這個問題，雖然你能提出定性的解釋，但是對我沒什麼用。我想要的是對於這種反感的精確分析，這樣我才能有效地將它化解。我想要說服大家同意和我見面，就像你現在這樣。」

「貝萊先生，」奎摩特說：「你不能把人類的情緒看成像是正子腦的產物。」

「我並沒有那麼說。機器人學是一門演繹性的科學，社會學則是歸納性科學，可是數學對兩者同樣適用。」

沉默了一會兒之後，奎摩特以顫抖的聲音說：「你已經承認自己並非社會學家。」

「我知道，但我聽說你是，而且是全球頂尖的一位。」

「我是唯一的一位。幾乎可以說這門科學是我創立的。」

「喔？」下一個問題令貝萊有點猶豫，因為連他自己都覺得不太禮貌。「你讀過這方面的書籍嗎？」

「看過些奧羅拉出版的。」

「你看過地球的社會學著作嗎？」

「地球？」奎摩特發出不安的笑聲，「我從未想到閱讀地球的任何科學文獻。請別介意我有話直說。」

「嗯，真令人遺憾。我原本以為能從你這裡得到些數據，讓我在面對面詢問其他人的時候，不至於……」

奎摩特突然發出一個古怪、刺耳、口齒不清的的聲音，他坐的那張椅子隨即重心不穩，啪地一聲翻到地上。

貝萊隱約聽到一句「真抱歉」。

在奎摩特踏著笨拙的步伐奪門而出之前，貝萊只來得及再瞥一眼他的背影。

貝萊揚了揚眉。自己這回又說錯了什麼話？耶和華啊！還是又按錯了什麼鈕？

正當他準備起身離去，一個機器人走進來，貝萊便暫停了動作。

「主人，」機器人說：「我奉命來通知你，主人很快會以顯像和你見面。」

「顯像嗎，小子？」

「是的，主人。在此之前，你或許想再用些點心。」

於是，貝萊身邊又出現了一杯粉紅色飲料，這回還多了一盤剛出爐且香氣四溢的糕點。

貝萊重新坐下，謹慎地嚐了一口飲料，便放了回去。那些糕點摸起來硬硬的，而且有點燙，不過外面的脆皮入口即化，而內餡則更熱更軟。由於味道特殊，他吃不出裡面是些什麼，不禁納悶那是不是索拉利特產的香料或佐料。

然後，他聯想到地球上那些種類貧乏的酵母食物，不禁突發奇想，或許可以發展一些酵母菌種，專門模仿外圍世界農產品的味道。

但他的思緒突然中斷了，因為就在這個時候，社會學家奎摩特竟憑空出現在他面前。這回是在他面前！他坐在一張較小的椅子上，而且顯然是在另一個房間裡，因為他周圍的牆壁以及地板都和貝萊這邊有極大的差異。他現在面露笑容，臉上的細紋因此加深，但弔詭的是，這使得他的雙眼更有生氣，整個人也顯得年輕不少。

他說：「萬分抱歉，貝萊先生。我本以為自己一定能忍受這種事，沒想到那只是我的妄想。或許可以這麼說，剛才我已經瀕臨崩潰，而你的話起了臨門一腳的作用。」

「到底是哪句話，博士？」

「你說什麼面對面——」他搖了搖頭，還伸出舌頭很快舔了舔嘴唇。「我還是別說的好，我想你該瞭解我的意思。這句話令我想到一幅極其鮮明的畫面，我們兩人在呼吸——呼吸彼此的空氣。」這位索拉利人哆嗦了一下，「你不覺得噁心嗎？」

「我好像從來沒有這麼想過。」

「這種習慣似乎骯髒得很。剛才你這麼說的時候，我腦海中就浮現出那個噁心的畫面。我覺悟到你我畢竟還是待在同一個房間裡，即使我沒有面對著你，從你肺中吐出的空氣還是會來到我身邊，甚至進入我體內。而我又是那麼敏感……」

貝萊說：「索拉利所有的空氣分子都進入過成千上萬人的肺臟。耶和華啊！此外還曾待過動物的肺和魚鰓裡面。」

「那倒是真的，」奎摩特莫可奈何地搓著臉頰，「但我一直避免做這方面的聯想。然而，當你真正和我共處一室，我便覺得事情發生到自己頭上了，你我不斷在呼吸彼此的空氣。現在換成顯像，說也奇怪，我就輕鬆多了。」

「我仍在這棟房子裡，奎摩特博士。」

「所以我才說自己也覺得奇怪。你我仍舊待在同一棟房子裡，但僅僅因為改用三維顯像，一切就變得不同了。現在，我至少明白了和陌生人見面是什麼感覺，我再也不會試第二次了。」

「聽來你好像是在進行見面的實驗。」

「就某方面而言，」這位太空族答道：「我想的確可以稱之為實驗，只不過動機並不強。我得到了很有趣的結果，雖說也是很不舒服的結果。這是個有價值的測試，或許我該記錄下來。」

「記錄什麼？」貝萊茫然地問。

「我的感覺啊！」奎摩特和對方交換著茫然的目光。

貝萊嘆了一口氣。牛頭不對馬嘴，始終牛頭不對馬嘴。「我會這麼問，是因為我假設你有什麼測量情緒反應的裝置，或許是腦電儀吧。」他作勢四下望了望，「不過我想，你用的應該是袖珍型，不需要電線連接。我們地球上就沒有這種好東西。」

「我相信，」這位索拉利人硬邦邦地說：「我不需要任何裝置，就能評估自己的感覺，因為它太明顯了。」

「這當然沒錯，但定量分析……」貝萊只說到這裡。

奎摩特氣咻咻地打岔道：「我不知道你在暗示什麼。不管了，我打算告訴你另一件事，其實，那是我自己的理論，書裡面讀不到的，而我自己相當引以為傲……」

貝萊問：「到底是什麼呢，博士？」

「啊，就是索拉利文明是在模仿地球過去的某個文明。」

貝萊嘆了一口氣。倘若不讓對方一吐為快，想得到對方的合作恐怕難上加難。於是他問：「哪個文明？」

「斯巴達！」奎摩特抬起頭來，一頭白髮被燈光照得熠熠生輝，幾乎像是一道光暈。「我肯定你聽說過斯巴達！」

貝萊不禁鬆了一口氣。年輕的時候，他對地球的古代史十分感興趣（這個主題對很多地球人都有吸引力——那是地球的黃金時代，因為當時的地球唯我獨尊；地球人就是主人，因為太空族根本不存在）。話說回來，地球的古代範圍太大了，奎摩特很可能會說出一個他沒聽過的名詞，那貝萊可就尷尬了。

現在，他可以審慎地答道：「對，我看過這方面的膠捲書。」

「很好，很好。且說全盛期的斯巴達，人口結構相當特殊：真正的斯巴達公民少之又少，那些叫做庇里阿西人的二等公民反而較多，其餘絕大多數的人口則是奴隸，也就是所謂的希洛人。希洛人和斯巴達人的比例是二十比一，而這些希洛人都是人類，擁有人類一切的情感和一切的優缺點。

「為了確保為數眾多的希洛人無法造反，斯巴達人個個成了軍事專家，經年累月過著戰爭機器的生活。而斯巴達社會的努力並未白費，希洛人的叛變從來沒有成功過。

「我們這些住在索拉利的人類，就某方面而言，和斯巴達人沒有兩樣。我們有我們的希洛人，只不過我們的希洛人並非人類，而是機器。雖然它們和我們的比例是兩萬比一，遠超過希洛人和斯巴達人的二十比一，但是它們不可能叛變，我們根本不必擔心。所以說，我們享有斯巴達人那種高高在上的好處，卻不必犧牲時間精力來強化自己的統治。反之，我們可以模仿雅典人，過著充滿藝術和文化的生活。雅典是和斯巴達同一個時代……」

貝萊說：「我也看過關於雅典的書籍。」

奎摩特越講越興奮。「文明始終是一種金字塔結構。當一個人逐漸爬向社會階級的頂端，就會有越來越多的閒暇、越來越多的機會追求幸福快樂。可是你爬得越高，就會發現和自己同樣幸運的人越來越少。總會有些人遭到剝削，那是無可避免的。還有別忘了，不論金字塔底層的人實際上過得多好，相較於頂端那些精英，他們仍是遭到剝削的一群。比方說，即使最窮困的奧羅拉人，他們的日子也好過地球上的貴族，但是和奧羅拉貴族相較之下，他們就成了被剝削階級。他們拿來做比較的，一定是在自己的世界上當家作主的那些人。

「因此在一般的人類社會中，社會摩擦總是免不了的。所有的社會革命運動，以及預防那些革命的反制行動，或是壓制那些革命的戰事，都會給人類帶來巨大的災禍。翻開歷史，這樣的事例層出不窮。

「而在索拉利，人類首度全部站上金字塔的頂端，遭到剝削的全是機器人。自從蘇美人和埃及人發明城市以來，這要算是最重大的一項發明；我們首度發明了一種新的社會，一個真正的新社會。」

他帶著微笑，靠回椅子裡。

貝萊點了點頭。「這個理論你發表了嗎？」

「將來或許會吧。」奎摩特裝出一副毫不在乎的模樣，「現在我還沒有這個打算。這是我生平的第三個成果。」

「另外兩個成果也這麼博大精深嗎？」

「其實都和社會學毫無關係。我曾經當過雕刻家，你四周的這些作品——」他指了指那些雕像，「都是我親手做的。此外我還當過作曲家。但後來我逐漸上了年紀，而且瑞坎恩．德拉瑪一直強烈主張純藝術比不上應用藝術，於是我決定轉攻社會學。」

貝萊說：「聽你的口氣，德拉瑪似乎是你的好朋友。」

「我們認識。活到我這個年紀，一定會認識索拉利上所有的成年人。但我沒有理由否認我和瑞坎恩．德拉瑪其實很熟。」

「德拉瑪是個怎樣的人？」說也奇怪，一提到這個名字，貝萊腦海中竟浮現出嘉蒂雅的身影，下一刻，那段不愉快的回憶便湧上心頭——最後一次見到她的時候，她被自己氣得五官都扭曲了。

奎摩特顯得有點若有所思。「他是個傑出人士，一心一意守護著索拉利和它的社會制度。」

「換句話說，是個理想主義者。」

「對，完全正確。這一點，光從他自願擔任——擔任胎兒工程師就看得出來。你可知道，這就是一門應用藝術，而我已經說過他對應用藝術的偏好。」

「這種自願行為不尋常嗎？」

「你不覺得嗎——但我忘了你是地球人。是的，很不尋常。這是一種必須有人做卻找不到自願者的工作。通常，我們必須指派一個人接任這個職位，為期若干年，而中選的人都高興不起來。德拉瑪卻自願終身堅守這個崗位。他覺得這個工作太重要了，不該硬塞給那些不情願的人。他曾經想說服我也投入這一行，但我當然不會自願做這種事，我絕不可能做這麼大的犧牲。不過對他而言，犧牲或許更大，因為他注重個人衛生到了近乎偏執的程度。」

「他的工作到底是什麼性質，我仍不確定自己是否已經瞭解。」

奎摩特的雙頰微微泛紅。「這個問題，你是不是跟他的助理談比較好？」

貝萊說：「如果在此之前，有人願意告訴我德拉瑪有個助理，我一定早就這麼做了，博士。」

「我對此表示遺憾，」奎摩特說：「但他有助理這件事，同樣反映出他多麼重視社會責任。以前這個職位是沒有助理的，然而，德拉瑪覺得有必要找個適當的後生晚輩，由他親自負責訓練，以便將來繼承這個職位，因為總有一天他會退休，或是，嗯，死去。」這位老者重重嘆了一口氣，「他比我年輕得多，竟然先我而去。我曾經跟他下過好多盤棋。」

「你們怎麼下棋？」

奎摩特揚起雙眉。「最普通的方式。」

「你們面對面?」

奎摩特露出驚恐的表情。「多麼可怕的想法!就算我能忍受,但哪怕只有一秒鐘,德拉瑪也絕對不會答應。身為胎兒工程師並未使他的感覺變得遲鈍,他是個吹毛求疵的人。」

「那麼你們……」

「跟任何人一樣,用兩個棋盤來下。」這位索拉利人突然聳了聳肩,一副寬大為懷的模樣。「好吧,你是地球人。我的棋步記錄在他的棋盤上,反之亦然,這是再簡單不過的一件事。」

貝萊又問:「你認識德拉瑪夫人嗎?」

「我們以顯像見過幾次。她是一名力場彩繪師,你知道吧,她的一些畫作我也看過。可以說很精緻,但只能算新奇,談不上原創性。話說回來,那些作品挺有趣的,看得出她有個敏銳的心靈。」

「你覺得,她有這個能耐殺害她的丈夫嗎?」

「我從未想過這個問題。女人是一種匪夷所思的動物。不過,此事幾乎沒有什麼爭辯的餘地,對不對?只有德拉瑪夫人能夠貼近瑞坎恩,然後把他殺掉。無論在任何情況下,瑞坎恩絕不會因為任何理由而讓第二個人見到他。他極度吹毛求疵,但我或許不該用這幾個字。他沒有絲毫不正常,沒有任何一點點反常。他是個優秀的索拉利公民。」

「你答應見我,難道你會說這是反常嗎?」貝萊問。

奎摩特答道：「對，我想我會這麼說。我應該說我自己有點戀髒癖。」

「德拉瑪會不會是由於政治因素遭到謀殺的？」

「什麼？」

「我聽說他自稱為傳統主義者。」

「喔，我們都是啊。」

「你的意思是，索拉利上並沒有什麼非傳統主義者的團體？」

「我敢說還是有些人，」奎摩特慢慢說道：「他們認為太過擁抱傳統主義是危險的。對於我們的稀少人口，對於其他世界的人數遠遠超越我們，他們有點過度擔心。他們認為，萬一其他外圍世界打算發動侵略，我們將毫無招架之力。這麼想可真是愚蠢，好在這些人為數不多，我並不認為他們有什麼力量。」

「你為什麼說他們愚蠢呢？在人數居於如此劣勢的情況下，索拉利有什麼辦法保持勢力的均衡？你們有什麼新武器嗎？」

「武器，當然有，但一點也不新。我提到的那些人，他們不只愚蠢，根本就是瞎子，竟然沒看到這個武器一直在發揮作用，而且威力無窮。」

貝萊瞇起眼睛。「你不是在開玩笑？」

「當然不是。」

「你瞭解這種武器嗎？」

「其實大家都瞭解。只要動動腦筋，你也不難想通。或許因為我是社會學家，所以比大多數人更容易看出來。沒錯，它並不是一般的武器。它不會殺人也不會傷人，但它的威力仍強大無比。正因為沒有人注意到，所以它的威力就更強大了。」

貝萊有點惱火地說：「這個非致命武器到底是什麼？」

奎摩特答道：「正子機器人。」

第十一章　育場

貝萊覺得一股寒意。正子機器人是太空族超越地球人的象徵，稱之為武器綽綽有餘。他盡量保持聲音的沉穩。「這是一種經濟武器。索拉利對其他外圍世界很重要，沒有索拉利就沒有先進的機器人，所以你們當然不會受到侵略。」

「這點顯而易見。」奎摩特無精打采地說：「它有助於我們保持獨立的地位。但我指的卻是另一件事，一件更微妙、範圍更廣的事。」奎摩特的目光停留在自己的指尖上，他的心思則顯然在神遊物外。

貝萊問道：「這也是你發明的社會學理論嗎？」

奎摩特難掩驕傲的神色，那種欲蓋彌彰的表情令對面的地球人幾乎忍俊不禁。

這位社會學家說：「的確是我發明的理論。據我所知，原創性百分之百，但如果你仔細研究外圍世界的人口數據，這個結論其實很明顯。首先我要強調，正子機器人自從問世後，在銀河各個角落都越來越受重用。」

「地球例外。」貝萊說。

「慢著，慢著，便衣刑警。我對你們的地球所知不多，但我起碼知道機器人也進入了你們的經濟體系。你們地球人通通住在大城裡，你們的行星表面幾乎毫無人煙。所以，是誰在經營你們的農場和礦場？」

「機器人。」貝萊大方地承認，「但如果說到這一點，那麼博士，最初發明正子機器人的正是地球人。」

「是嗎？你確定？」

「你可以去查，此事千真萬確。」

「真有趣。但機器人在那裡最沒有發展。」社會學家若有所感地說：「或許是因為地球的人口太多，所以需要的時間特別久。對，沒錯……話說回來，連你們的大城裡也已經有機器人了。」

「是的。」貝萊說。

「現在要比——例如比五十年前更多。」

貝萊不耐煩地點了點頭。「是的。」

「那就對了，差別僅僅在於時間因素而已。機器人會逐漸取代人工，這樣的經濟體系是一條單行道；機器人越來越多，而人類越來越少。我曾經非常仔細地研究過人口數據，把它們畫成圖解，並做了一些外推。」他突然住口，彷彿吃了一驚。「啊，這就是把數學應用到社會學上，對不對？」

「對。」貝萊說。

「而且，似乎有些深刻的意義，我得好好想一想。總之，這些都是我得到的結論，而我確信正確性是無庸置疑的。在一個接受機械勞工的經濟體系中，機器人對人類的比例一律會直線上升，任何試圖避免這個趨勢的法規命令都是徒勞的。上升的速度雖然緩慢，可是永遠不會停止。起初人口會顯著增加，但機器人增加的速度卻快得多。一旦達到某個臨界點之後……」

奎摩特又頓了頓，然後說：「我們這麼講吧。我很想知道有沒有決定臨界點的精確方法，例如能否真的訂出一個數值來。這又要用到你喜歡的數學了。」

貝萊顯得坐立不安。「達到臨界點之後又會怎樣，奎摩特博士？」

「啊？喔，那個世界的人口會開始真正下降，整個行星會趨近真正的社會穩定性。奧羅拉一定會這麼發展，就連你們的地球也會。地球或許還需要好幾個世紀，但遲早必定會發生的。」

「你所謂的社會穩定性是什麼意思？」

「就是我們索拉利這裡的情形。在這樣的世界上，人人屬於悠閒階級。所以其他的外圍世界都沒什麼好怕的。或許只要再等一個世紀，它們就會通通變成索拉利。我猜就某個角度而言，那將是人類歷史的終點，至少可以說是大功告成。終於，人類終於擁有了他們所需要的和想要的一切。你知道嗎，我曾經讀到一句話，內容和追求幸福有關，但我並不知道真正的出處。」

貝萊語重心長地說：「所有的人類『秉造物者之賜，擁諸無可轉讓之權利，包含生命權、自由權與追尋幸福之權。』」

「你說對了。它到底出自哪裡？」

「某個古老的文獻。」貝萊說。

「你可知道在索拉利，以及將來在整個銀河，這句話該如何修正嗎？追尋將會結束。人類與生俱來的權利會變成生命權、自由權以及幸福權。不必追尋，就有幸福。」

貝萊冷冷地說：「或許吧，但你們索拉利剛剛發生兩樁兇案，一死一重傷。」

此話一出口，他幾乎立刻反悔了，因為奎摩特的表情活像被甩了一巴掌。這位老者垂著頭說：「我已經盡可能回答你的問題了。你還希望我做些什麼嗎？」

「沒有了，謝謝你，博士。很抱歉，對於你痛失摯友這件事，我對你造成了二度傷害。」

奎摩特慢慢抬起頭來。「我很難再找到另一位棋友了。他赴約一向萬分準時，而且他的棋品極佳。他是個優秀的索拉利公民。」

「這我瞭解。」貝萊柔聲道，「我能否使用你的顯像儀，聯絡我要去見的下一個人？」

「當然可以，」奎摩特說：「我的機器人供你差遣。現在我要告退了，顯像結束。」

奎摩特消失後還不到三十秒，便有個機器人來到貝萊身邊。貝萊不禁再度大感好奇，想不通它們是如何接受指揮的。他記得奎摩特在告退之前，曾經伸手按向一個開關，此外什麼也沒做。

或許那是一種相當概略的訊號，內容僅說：「執行勤務！」或許機器人時時刻刻都在用心聆聽，當人類有需要時，它們總是第一時間知曉。如果附近的機器人（無論身軀或心智）並不適合執行那件任務，整合機器人的無線網絡便會啟動，以便挑選最適當的機器人出馬。

一時之間，貝萊把眼前的索拉利想像成一張「機器人網」，它的網眼雖然很小，但還在繼續縮小之中，而所有的人類全住在這網子裡。他還想到奎摩特說過每個世界都會變成索拉利，那豈不是處處都會出現這些越收越緊的網，連地球也逃不掉，最後……

這時，剛剛進來的那個機器人突然開口，打斷了他的思緒。「我隨時能替您服務。」它說得輕聲細語，表現出身為機器應有的敬意。

貝萊說：「你知道如何聯絡瑞坎恩．德拉瑪生前的工作場所嗎？」

「知道，主人。」

貝萊聳了聳肩。他總是忘記避免提出這些沒用的問題。機器人當然知道，沒什麼好問的。他忽然想到，若想真正有效率地指揮機器人，你得先成為專家，成為機器人學家才行。於是他不禁好奇，一般的索拉利人表現如何呢？或許只是平平吧。

他說：「聯絡那個地方，找德拉瑪的助理講話。如果助理不在那裡，不管他在天涯海角，也要把他找出來。」

「是的，主人。」

機器人正要轉身離去，貝萊又從後面把它叫住。「慢著！現在那裡是什麼時間？」

「大約〇六三〇時，主人。」

「早上嗎？」

「是的，主人。」

貝萊再度起了反感，一個世界怎麼會任由太陽的起落決定一切。這就是赤裸裸生活在行星表面的壞處。

他自然而然聯想到地球，連忙收回了思緒。專注於手邊工作時，他能把自己控制得很好。如果任由鄉愁滋長，那他可就毀了。

他說：「不管了，小子，聯絡那個助理，告訴他這是公事——然後叫另一個小子拿點吃的來。一份三明治，一杯牛奶就行了。」

他心事重重地嚼著那份夾有某種燻肉的三明治，同時不知不覺地想到，在葛魯爾出事後，丹尼爾．奧利瓦一定會認為每樣食物都很可疑。而且，丹尼爾的想法或許沒錯。

然而，他吃完了三明治，並沒有什麼不良的後果（至少沒有立即的反應），於是開始一口口呷著牛奶。他並未從奎摩特身上問出他想知道的事，可是仍有意料之外的收穫。他在心中稍加整理後，覺得自己學到的還真不少。

沒錯，兇案的線索仍舊零零星星，但他對大環境的瞭解卻突飛猛進。

機器人回來了。「那位助理願意顯像，主人。」

「很好，有沒有碰到什麼困難？」

「助理仍在睡覺，主人。」

「不過，現在醒了吧？」

「是的，主人。」

這時，那位助理突然出現在他面前，帶著一臉的惱怒坐在床上。

貝萊猛然後退，彷彿面前毫無預警地升起一道力場屏障。他又沒有問對問題，以致又一次錯失了重要的訊息。

誰也沒有想到要特別告訴他，瑞坎恩．德拉瑪的助理是一名女性。

她的頭髮凌亂，但看得出頗為濃密，而且比太空族一般的古銅色來得深。她有一張圓臉，一點點蒜頭鼻，下巴則相當大。只見她伸手慢慢抓了抓腰部上方，貝萊馬上擔心床單會溜下來——他聯想到了嘉蒂雅在進行顯像時的開放作風。

這種幻滅的經驗令貝萊覺得五味雜陳。地球人總是假設所有的太空族女性都是美女，而嘉蒂雅當然是個強有力的例證。不過面前這位，即使以地球的標準，也只能算平庸而已。

因此當她開口之際，貝萊難以相信她低沉的嗓音居然那麼迷人。她說：「喂，你知不知道現在幾點鐘？」

「我知道。」貝萊說：「但既然馬上要去見你，我覺得應該先通知你一下。」

「見我？老天啊——」她瞪大眼睛，伸手按著下巴。（她手上戴著一枚戒指，這是貝萊在索拉利上見到的第一項個人飾物。）「慢著，你該不會是我的新助理吧？」

「不是，和那件事完全無關。我是來調查瑞坎恩．德拉瑪死因的。」

「喔？好，那就調查吧。」

「你叫什麼名字？」

「克蘿麗莎．康特羅。」

「你為德拉瑪博士工作多久了？」

「三年。」

「我猜你現在應該是在工作場所。」（這麼含糊的說法，連貝萊自己都有點心虛，但他實在不知道胎兒工程師上班的地方該怎麼稱呼。）

「你是指我是否在育場裡？」克蘿麗莎憤憤地說：「我當然在這裡。自從老板玩完了，我就沒有離開過，而且看來，除非他們指派一個新助理給我，否則我休想離開。對了，你能不能幫這個忙？」

「很抱歉，女士，我在這方面毫無影響力。」

「我就知道白問了。」

克蘿麗莎拉開被單下了床，一點也沒有害羞的意思。她穿著一件單套的睡衣，只見她將手伸到頸際，摸索著睡衣接縫末端。

貝萊趕緊說：「慢著。如果你同意和我見面，我們立刻可以結束顯像，然後你就能私下換衣服了。」

「私下？」她努出下唇，用好奇的目光望著貝萊。「你很吹毛求疵，是不是？就像老板一樣。」

「你願意和我見面嗎？我想參觀一下這座育場。」

「我不明白你為何要見我，但如果你想透過顯像參觀育場，我可以擔任嚮導。我很高興有機會打破例行作息，但請容我先梳洗一番，處理些雜事，順便讓自己更清醒一點。」

「我不想透過顯像，我想要親眼觀看一切。」

這位女士把頭偏向一側，敏銳的眼神透出職業的好奇心。「你是不是哪裡不正常？你上次接受基因分析是什麼時候的事？」

「耶和華啊！」貝萊咕噥道，「聽好，我叫以利亞．貝萊，是從地球來的。」

「從地球來的？」她激昂地喊道，「老天啊！你來這裡做什麼？這是個精心設計的玩笑嗎？」

「我可沒開玩笑。我是應邀前來調查德拉瑪死因的。我是一名便衣刑警，一名警探。」

「你的意思是那種調查啊。但我以為大家都知道兇手就是他太太。」

「不，女士，我心中仍舊存疑。可否請你允許我親自造訪你以及那座育場。你該瞭解，身為地球人的我對顯像並不習慣，它令我覺得不舒服。我有安全局長簽發的文件，准許我親訪本案的關係人。如果你想看，我這就拿出來。」

「看看吧。」

於是，貝萊將那份官方文件舉到她的「眼前」。

她搖了搖頭。「親訪！真髒呀。話說回來，老天啊，這份工作已經髒透了，我會在乎再髒這一點嗎？不過，你給我聽好，千萬別靠近我，一定要和我保持一大段距離。若有必要，我們大可扯開嗓子交談，或是派機器人傳話。你瞭解了嗎？」

「我瞭解了。」

在顯像中斷的那一瞬間，她的睡衣剛好齊中裂開，貝萊還聽到她咕噥了一聲：「地球人！」

「這樣夠近了。」克蘿麗莎說。

此時貝萊和這位女士相距約二十五英尺。「這個距離我能接受，但我想趕緊進屋去。」

無論如何，今天的情況還算不賴。他已經不怎麼在乎飛行了，但是沒必要把自己逼到極限。他很想扯扯衣領，讓呼吸更順暢些，最後還是忍住了。

克蘿麗莎犀利地問道：「你哪裡不對勁？好像虛脫了。」

貝萊說：「我不太習慣戶外。」

「那就對了！地球人！你們一定要被關在籠子裡。老天啊！」她伸出舌頭舔了舔嘴唇，彷彿吃到什麼味同嚼蠟的東西。「好，那就進來吧，不過你得先讓我騰出位子。好了，請進。」

她的頭髮現在結成兩條粗大的辮子，再以繁複的型式盤在頭頂上。貝萊不禁納悶，梳這種頭得花費她多少時間，但他隨即恍然大悟，八成是由那些精準的機械手指代勞的。

她的圓臉被這種髮型襯托出一種對稱感，即使談不上美麗，也令人覺得賞心悅目。她臉上並沒有任何妝，同理，她的穿著也只注重實用性而已。她全身上下幾乎都是深藍色，只有一雙手套例外。那雙手套罩住她半個手臂，淡紫的色調和她的衣服很不協調，顯然並非她平日裝扮的一部分。貝萊注意到手套底下有根手指分外粗大，想必是仍戴著戒指的緣故。

兩人站在房間的兩端，面對面遙遙相望。

貝萊說：「你不喜歡這種事，對不對，女士？」

克蘿麗莎聳了聳肩。「我為什麼要喜歡？我又不是野獸，不過我還能忍受。當你必須接觸……接觸……」她頓了頓，然後翹起下巴，彷彿下定決心要把該講的話大大方方講出來。「接觸兒童，你就會慢慢變得堅強。」她把「兒童」兩字講得特別清楚。

「聽你的口氣，你並不喜歡目前這份工作。」

「這工作很重要，一定得有人做。話說回來，我還真不喜歡。」

「瑞坎恩．德拉瑪喜歡嗎？」

「我猜他也不喜歡，但他從不表現出來。他是個優秀的索拉利公民。」

「但他吹毛求疵。」

克蘿麗莎顯得很驚訝。

貝萊道：「是你自己說的。剛才我們以顯像交談時，我說你最好私下換衣服，你就說我像老板一樣吹毛求疵。」

「喔，好吧，他的確吹毛求疵。即使在顯像時，他也一向不隨便，總是一絲不苟。」

「這並不尋常嗎？」

「不該這樣的。理論上，你應當正襟危坐，但從來沒人理會，顯像時誰也不管這一套。既然並非真正在場，何必那麼麻煩呢？你知道吧？我在顯像時從不自找麻煩，只有見老板例外。見他的時候，一切都得很正式。」

「你敬重德拉瑪博士嗎？」

「他是個優秀的索拉利公民。」

貝萊說：「你將這個地方稱為育場，剛才又提到了兒童。你們在這裡養育下一代嗎？」

「從一個月大開始，每個索拉利胎兒都會被送到這裡來。」

「胎兒？」

「是的。」她皺起眉頭，「我們在受孕後一個月接手，這令你感到尷尬嗎？」

「不會。」貝萊斷然答道，「你能帶我參觀一下嗎？」

「可以，但你要保持距離。」

當貝萊俯視那個狹長房間之際，他自己的長臉絲毫沒有表情。他們是隔著玻璃觀看那個房間的，而在玻璃的另一面，他十分肯定，無論溫度、濕度或無菌程度都在完美的控制之下。放眼望去只見一排排的罐子，裡面盛著成分精準、含有均勻養分的溶液，而一個個小生物就泡在那些罐子裡。生命就在這裡逐漸成長。

那些胎兒可真小，有些還比不上他的半個拳頭。他們個個蜷曲著身子，有著鼓脹的頭顱、正在發芽的四肢，以及逐漸消失的尾巴。

站在二十英尺外的克蘿麗莎問道：「你覺得怎麼樣，便衣刑警？」

貝萊問：「總共有多少？」

「以今天上午來說，共有一百五十二個。我們每個月收進十五到二十個新的，送出同樣多長大的。」

「在這顆行星上，這樣的機構只有你們這一所嗎？」

「沒錯。由於人口只有兩萬，平均壽命又有三百歲，一所育場便足以維持人口的穩定。這棟建築相當新，是德拉瑪博士親自監工建造的，他還對作業流程做了很多改進。現在，我們的胎兒死亡率幾乎等於零了。」

有不少機器人在玻璃罐之間來回穿梭。在每個罐子前它們都停一下，不厭其煩且一絲不苟地檢查各項數據，並仔細觀察其中的微小胚胎。

「誰替那些母親動手術？」貝萊問，「我的意思是，取出那些小東西。」

「自有專人負責。」克蘿麗莎答道。

「德拉瑪博士？」

「當然不是他，我是指真正的醫生。你該不會以為德拉瑪博士會甘願做……唉，算了。」

「為何不能用機器人呢？」

「用機器人動手術？第一法則很難允許這種事，便衣刑警。為了拯救某人的性命，機器人如果有辦法，或許的確會替他割除闌尾，但我相信事後它得經過大修，否則就會成為一堆廢鐵。對正子腦而言，切割人類肌膚是一種相當傷痛的經驗。人類醫生能慢慢克服這種事，即使必須親自到場，他們也受得了。」

貝萊又問：「不過，我注意到是機器人在照顧那些胎兒。你和德拉瑪博士會介入嗎？」

「有時出了錯，例如某個胎兒的發育出了問題，我們就必須介入了。凡是攸關人命的事，不能假設機器人一定會做出正確判斷。」

貝萊點了點頭。「我能想像，太容易因為誤判而鬧出人命了。」

「剛好相反。太容易過度珍惜生命，而救回不該救的。」她說得斬釘截鐵，「身為胎兒工程師，貝萊，我們要確保生出的孩子都很健康，健健康康。但就算父母做了最詳盡的基因分析，也無法保證基因的排列組合通通是好的，更何況還有突變的可能。意料之外的突變，要算是我們最大的挑戰。我們已將突變率降到千分之一以下，可是，這仍意味著平均十年會碰到一次。」

在她的示意下，他跟著她沿著二樓走廊向前走。

她又說：「我帶你去看育嬰室和孩童寢室。他們要比胎兒麻煩得多。在他們身上，我們能讓機器人代勞的工作極為有限。」

「為什麼呢？」

「如果你曾試著教導機器人如何維持紀律，貝萊，你就會知道了。第一法則令它們在這方面幾乎使不上力。千萬別以為孩童不懂這些，他們剛會說話便學到了。我曾見過一個三歲的小孩，光是大喊：『別傷害我，你們別傷害我。』就使得十來個機器人動彈不得。唯有極為先進的機器人，才會瞭解小孩子可能故意說謊。」

「德拉瑪能應付這些小孩嗎？」

「通常都能。」

「他是怎麼做到的？是不是鑽到他們中間，用棍子跟他們講道理？」

「德拉瑪博士？接觸他們？老天啊！當然不會！但他的確會對他們訓話，還會對機器人下達特別指令。我曾見過他以顯像叫住一個小孩，然後讓機器人打他的屁股，前後長達十五分鐘，而機器人真的一直打個不停。這麼幾次之後，那孩子就不敢對老板造次了。而且老板這方面很高明，因此一般說來，機器人事後只需要接受例行調整即可。」

「你自己呢？你自己也會走近那些小孩嗎？」

「有時我不得不這麼做。我可沒有老板的本事。或許有一天，我也能進行遠距離指揮，但如果現在嘗試，我只會毀掉那些機器人。指揮機器人可以算是一種藝術，你知道吧。每當我想到這種事，我是指走近那些小孩，唉，那些小野獸！」

她突然轉頭望著他。「我想你不介意見見他們吧。」

「一點也不介意。」

她聳了聳肩，饒富興味地瞪著他。「地球人！」然後，她重新邁開腳步。「總之，這到底是為什麼呢？你一定會得到嘉蒂雅．德拉瑪是兇手的結論，一定會的。」

「這點我並不肯定。」貝萊說。

「怎麼可能不肯定呢？除了她還會有誰？」

「還有其他的可能，女士。」

「比如說誰？」

「嗯，比如說你！」

克蘿麗莎對這句話的反應令貝萊相當驚訝。

第十二章　箭靶

她竟啞然失笑。

她笑得越來越大聲，簡直一發不可收拾，直到喘不過氣來才勉強停止，而她那張圓臉幾乎漲成了醬紫色。她靠在牆邊，大口大口喘著氣。

「不，別過來。」她懇求道，「我還好。」

貝萊神情嚴肅地說：「這種事有那麼可笑嗎？」

她試著開口，不料又縱聲大笑起來。最後，她以耳語般的聲音說：「喔，你果然是地球人！怎麼可能是我呢？」

「你很瞭解他。」貝萊說：「你瞭解他的習慣，不難策劃這樁謀殺。」

「你以為我見得到他？以為我會走到他身邊，拿東西猛擊他的腦袋？你對這件事根本毫無概念，貝萊。」

貝萊覺得臉都紅了。「你為何不能走到他身邊，女士？你早已適應了——呃——走入人群。」

「走入這群小孩。」

「適應是可以循序漸進的。你似乎也能忍受我站在你對面。」

「距離二十英尺。」她以不屑的口吻說。

「我剛剛造訪過另一個人，由於我的出現，他很快便瀕臨崩潰。」

克蘿麗莎板起臉孔來說：「只是程度上的差別。」

「我認為程度上的差別具有重大意義。既然你對孩童早就習以為常，只要假以時日，或許你就有辦法面對德拉瑪。」

「我想要指出一點，貝萊先生，」克蘿麗莎再也沒有被逗樂的樣子，「我有辦法面對誰和此事絲毫沒有關係。德拉瑪博士是個吹毛求疵的人，這方面他簡直和李比一樣糟。簡直一樣。即使我有辦法面對他，他也沒辦法面對我。除了德拉瑪夫人，他不容許任何人來到和他面對面的距離。」

貝萊追問：「你提到的這個李比是什麼人？」

克蘿麗莎聳了聳肩。「另一個古裡古怪的天才，希望你知道我的意思。他和老板一起研究機器人。」

貝萊默默記下這件事，隨即又回到原先的話題。「我們也可以說你擁有動機。」

「什麼動機？」

「他一死，你就能接管這個機構，繼承他的職位。」

「你把這件事稱為動機？老天啊，誰會想要這個職位？索拉利上有這種人嗎？恰恰相反，這剛好是讓他能好好活著的原因，剛好是罩在他頭上的保護傘。你需要找個更好的動機，地球人。」

貝萊伸出食指抓抓脖子，一副信心動搖的模樣。他聽得出這句話頗有道理。

克蘿麗莎又說：「你注意到我的戒指嗎，貝萊先生？」

一時之間，她似乎要脫下右手的手套，最後卻忍住了。

「注意到了。」貝萊說。

「我想，你並不知道它的意義吧？」

「不知道。」他難過地想，自己永遠無法擺脫這種無知的窘境。

「那麼，你可願意上一堂課？」

「只要能幫助我更加瞭解這該死的世界，」貝萊衝口而出，「我萬分樂意。」

「老天啊！」克蘿麗莎微微一笑，「我猜我們在你眼中，和地球人在我們眼中差不多。全憑想像。啊，這裡有個空房間，我們進去找個地方坐下——不，這房間不夠大。不過，我想這麼辦吧，你去裡面坐，我就站在這裡。」

她朝走廊另一頭走了幾步，騰出空位讓他進屋去，然後又走回來，貼牆站在門口，和他剛好能夠面對面。

貝萊僅僅稍微擔心了一下紳士風度，便一屁股坐下來。他賭氣似地想：有何不可？就讓這個女太空族站著吧。

克蘿麗莎將那雙粗壯的手臂交握胸前，開口道：「基因分析是我們這個社會的運作關鍵。當然，我們並不直接分析基因。不過，每一個基因控制一種酶，而我們有辦法分析這些酶。瞭解酶，就能瞭解人體的化學；瞭解人體的化學，就能瞭解人類。你聽懂了嗎？」

「理論我聽懂了，」貝萊說：「但不明白實際上如何運作。」

「實際運作由這裡負責。當寶寶尚未脫離胎兒期的時候，我們便開始驗血，這就能讓我們有個粗略的估量。理論上，此時我們已能抓出所有的突變，判斷是否要讓寶寶生下來。但事實上，我們在這方面的知識仍有不足，無法將誤判的可能清除殆盡。或許總有這麼一天吧。總之，寶寶出生後我們會繼續進行切片和體液的化驗。而無論如何，早在他們長大成人之前，我們就會把這些小男生小女生體內的一切完全弄清楚。」

（蜜糖和香料……貝萊腦海中自動浮現出這幾個沒意義的字眼。）

「我們手上的戒指，上面用密碼刻著我們的基因結構。」克蘿麗莎說：「這是個古老的習俗，是從索拉利人尚未採用優生篩選的時代一直流傳下來的。如今，我們每個人都健健康康。」

貝萊說：「可是你仍然戴著戒指，為什麼呢？」

「因為我與眾不同。」她大言不慚，顯得十分自傲。「德拉瑪博士花了很多時間才找到我擔任助理。他需要一個與眾不同的人——心靈手巧、工作勤奮、穩定性高，其中最重要的就是穩定性。換句話說，要能學著接觸小孩，不至於精神崩潰。」

「他自己做不到，對不對？這代表他的穩定性不夠嗎？」

克蘿麗莎說：「可以這麼講，但至少在大多數情況下，這種不穩定都是良性的。你經常會洗手，對不對？」

貝萊低頭看了看自己的雙手，不用說當然很乾淨。「對。」他答道。

「很好。所謂的不穩定，我想可以比喻成你很討厭弄髒雙手，即使在緊急狀況下，你也無法清理一個充滿油污的機件。話說回來，在日常生活中，這種反感讓你能保持乾淨，所以是好事。」

「我懂了，請繼續。」

「沒有了。我的基因健康指數是索拉利有史以來的第三名，所以我戴著這枚戒指。我喜歡隨身攜帶這個光榮紀錄。」

「恭喜你。」

「你不必冷嘲熱諷。這也許不算我的成就，也許只是我的親代基因盲目組合之下的結果，但無論如何，我還是感到驕傲。因此，誰也不可能相信我會心理變態到殺人的程度，我這種基因做不到。所以別在我身上浪費時間了。」

貝萊聳了聳肩，什麼也沒說。這女子似乎把基因和證據混為一談了，想必其他索拉利人也都會這麼做吧。

克蘿麗莎說：「你想去看那些孩子了嗎？」

「好，謝謝你。」

一條條的走廊似乎沒有盡頭。這顯然是一棟巨大的建築，雖然比不上地球大城內一排排的巨型公寓，但就一個黏在行星表面的獨立建築而言，它想必已經像一座小山。

眼前出現好幾百張嬰兒床，一個個粉嫩的初生兒或是啼哭，或是睡覺，或是在吃奶。然後，他們又經過幾間遊戲室，看到好些已經會爬的嬰兒。

「甚至到了這個階段，他們也還不算太壞。」克蘿麗莎的口氣有些勉強，「不過他們佔用了很多機器人。在學會走路之前，幾乎一個寶寶就需要一個機器人。」

「為什麼呢？」

「如果欠缺個別照顧，他們會病懨懨的。」

貝萊點了點頭。「對，我想需要關愛是一種無從消除的本能。」

克蘿麗莎皺起眉頭，不客氣地說：「寶寶需要的是照顧。」

貝萊說：「機器人竟然能滿足關愛的需要，倒是令我有點驚訝。」

她猛然轉身面向他，雖然隔著一大段距離，仍能讓對方將她的不悅看得一清二楚。「聽好，貝萊，如果你想拿這些不雅的詞彙困擾我，你不會得逞的。老天啊，別那麼天真。」

「困擾你？」

「我也能說這兩個字，關愛！你想聽更簡潔有力的說法嗎，我照樣敢講，愛！愛！如果你覺得鬧夠了，那就安分點吧。」

貝萊懶得跟她爭辯這些字眼有何不雅，只是說：「那麼，機器人真能好好照顧他們嗎？」

「顯然可以，否則這所育場不會那麼成功。它們跟小孩玩在一起，甚至相親相愛地抱成一團。小孩子並不在乎它們只是機器人。不過，三歲到十歲這個階段，他們就越來越難伺候了。」

「喔？」

「這段年齡的小孩堅持要和其他小孩玩，幾乎毫無例外。」

「我想你們會順他們的意。」

「我們沒辦法，但我們也從未忘記有義務教導他們如何成為成年人。每個小孩都有一間可以關上的房間。打從一開始，他們就一定要自己睡，這點我們很堅持。然後，他們每天都會有一段隔離的時間，而且隨著年齡逐漸增加。到了十歲的時候，孩子就能連續一星期只用顯像。當然，顯像裝置都很精巧，他們在戶外行動時也能使用，而且整天不間斷。」

貝萊說：「你們竟然把本能消除得那麼徹底，這令我很訝異。我看得出你們刻意這麼做，但我仍很訝異。」

「什麼本能？」克蘿麗莎追問。

「群居的本能。這是最現成的例子。你自己說的，孩子們堅持要玩在一起。」

克蘿麗莎聳了聳肩。「你把這種事稱為本能？不過，即使是又怎麼樣？老天啊，小孩都有懼怕墜落的本能，訓練有素的成年人卻能在高處工作，就算時時刻刻冒著摔落的風險，他們也能克服。你沒看過在高空鋼絲上進行的體操表演嗎？某些世界上還有人住在很高的建築裡。此外，小孩對於巨響也有本能的恐懼，可是你會怕嗎？」

「除非是特殊狀況。」貝萊答道。

「我敢打賭，在萬分安靜的情況下，地球人根本睡不著。老天啊，只要有良好的、持續的教育，無論任何本能都可以被取而代之。總之人類的本能都很脆弱。事實上，只要摸對方向，這種教育會一代比一代容易，這就是一種進化。」

貝萊問：「此話怎講？」

「你看不出來嗎？每個人在發育過程中，都會重演自己的演化史。剛才看到的那些胎兒，都會經歷一段有鰓有尾巴的時期。這些過程是無法跳過的。同理，小孩子必須經歷一段群居動物期。但正如胎兒能在一個月內完成相當於一億年的演化，我們的小孩也能很快走過群居動物期。根據德拉瑪博士的看法，這個過渡階段會一代比一代更短。」

「是嗎？」

「照目前的進度，他估計再過三千年，我們的後代便會直接進入顯像期。老板還有些其他的想法，他有心把機器人改造成能出手管教小孩，而不至於變得心智不穩定。有何不可呢？今天的管教是為了讓他們明天會更好，這是第一法則的真諦，只要能讓機器人明白這點就行了。」

「這種機器人發展出來了嗎？」

克蘿麗莎搖了搖頭。「只怕沒有。但德拉瑪博士和李比曾經努力研發實驗機型。」

「德拉瑪博士有沒有將這種機型送到他自己的屬地？他對機器人學有多精通，能夠自己進行測試嗎？」

「當然。他經常測試機器人。」

「你知不知道，他遇害的時候，身旁有個機器人？」

「我聽說了。」

「你知不知道是什麼機型？」

「這點你得問李比。如我所說，和德拉瑪博士合作的機器人學家就是他。」

「你對此一無所悉？」

「毫無概念。」

「如果你想到了任何事，請讓我知道。」

「我會的。還有，別以為德拉瑪博士只對新型機器人有興趣。他經常提到，總有一天我們能將卵子儲存在液態空氣的溫度下，以待人工受精之用。這麼一來，優生原理便能真正付諸實現，而我們便能徹底消除演化的最後一點遺跡，也就是見面的需要。我不確定自己是否完全贊同他的觀點，但他是個思想先進的人，是個非常優秀的索拉利公民。」

她很快又補了一句：「你想不想到外面去？我們鼓勵五到八歲的小孩多多參與戶外活動，你可以看到實際的狀況。」

貝萊謹慎地答道：「我會試試看。但我也許很快就得回到室內。」

「喔，對，我忘了。或許你根本不想出去？」

「不。」貝萊擠出一個笑容，「我要試著慢慢習慣戶外。」

外面的風很強，令人覺得呼吸困難。就直接感受而言，溫度並不算低，可是那種陌生的感覺——那種衣服貼在身上拍動的感覺，讓貝萊打心底竄出一股寒意。

當他想要開口說話時，牙齒竟然不由自主打顫，他只好一個字一個字迸出來。放眼望去，地平線顯得分外遙遠，而且是一片朦朦朧朧的藍綠色，令他的眼睛很不舒服，唯有收回視線，看看腳邊的小徑，才勉強帶來一點舒緩。更重要的是，他避免抬起頭——除了偶爾飄來的白雲以及火辣辣的太陽，天空盡是一望無際的青藍色，顯得空虛無比。

但他並未拔腿飛奔逃回室內，他終究擊敗了這個衝動。

他尾隨在克蘿麗莎後面，保持大約十步的距離。經過一棵樹的時候，他小心翼翼地伸出手去——摸起來又粗又硬。好些類似蕨類的葉子在他頭頂迎風飄曳，但他並未抬頭向上望。反正這是棵活生生的樹！

克蘿麗莎喊道：「你覺得怎樣？」

「很好。」

「你從這裡就能看到一群小孩。」她說：「他們正在進行某種競賽。機器人負責主持這個活動，隨時防範那些小野獸把同伴的眼睛踢出來。真正面對面的時候，就會有這種可能，你知道吧。」

貝萊緩緩揚起目光，沿著水泥小徑向前延伸，逐漸望向草坪和坡地，然後繼續向更遠的地方望去——非常小心——如果開始害怕，他隨時準備收回視線——他用自己的眼睛來感覺——

他看到好些小男生小女生在互相追逐，他們完全不在乎置身於這個世界的表皮，上面只有大氣層和太空。此外，還有個閃閃發亮的機器人靈巧地穿梭其間。他們的嬉鬧聲遠遠傳過來，聽起來只是此起彼落的尖叫。

「他們喜歡這種活動。」克蘿麗莎說：「你推我，我拉你，摔倒了再爬起來，不停地互相接觸。老天啊！他們什麼時候才能長大？」

「年齡較大的在做些什麼呢？」貝萊指了指站在旁邊的另一群孩童，他們彼此間保持著一定距離。

「在練習顯像。他們並非真正在那裡。但藉著顯像，他們可以一起散步，一起聊天，一起奔跑，一起遊戲。除了沒有真正的接觸，什麼都做得到。」

「離開這裡之後，這些小孩會去哪裡呢？」

「去他們自己的屬地。平均來說，索拉利每年的死亡人數大約等於我們的畢業人數。」

「所以他們會去父母的屬地？」

「老天啊，大錯特錯！如果小孩成年時，他的父母正好死去，那可真是天大的巧合。不，哪個屬地空出來，他們就去哪裡。反正，如果有人剛好住進父母遺留的宅邸，也很難說他會不會特別高興——當然，前提是他們知道父母是誰。」

「他們不知道嗎？」

她揚起眉毛。「為什麼要知道？」

「父母不會來這兒探望他們的小孩嗎？」

「你怎麼會有這種想法，他們為什麼想要來？」

貝萊說：「我可否請你幫我釐清一件事？如果我問某人他有沒有小孩，是不是很不禮貌？」

「這是個敏感的問題，你不覺得嗎？」

「看怎麼說了。」

「我自己不在乎。我的工作就是照顧小孩。別人就不一樣了。」

貝萊問：「你自己有小孩嗎？」

克蘿麗莎吞了一口口水，喉結明顯地微微動了一下。「我想這是我自找的，你有權這麼問。我沒有。」

「你已婚嗎？」

「是的，而且我有自己的屬地，要不是這個緊急狀況，我也不會過來這裡。我如果不親自到場，恐怕無法控制所有的機器人。」

她怏怏地轉過身去，然後伸手一指。「有個小孩摔倒了，不免哭了起來。」

立刻有個機器人大步向他跑去。

克蘿麗莎說：「機器人會把他抱起來，好好哄慰一番。如果他真受了傷，我就會被找去。」

她有點緊張地補了一句：「希望不必我親自出馬。」

貝萊做了一個深呼吸。然後，他注意到左方五十英尺處有三棵樹排成一個小三角形。他朝那個方向走去，鬆軟的草地踩起來很不愉快，甚至令人覺得噁心（好像踏著腐屍前進，想到這裡，他險些要作嘔了。）

他來到那三棵樹之間，背靠其中一棵站著。感覺上，周遭彷彿是一圈支離破碎的圍牆。陽光透過樹葉灑下來，成了一串串不連續的搖曳光影，幾乎不怎麼可怕了。

克蘿麗莎原本站在小徑上望著他，這時慢慢向他走來，將兩人的距離拉近了一半。

「我在這裡待一會兒好嗎？」貝萊問。

「沒問題。」克蘿麗莎答道。

貝萊說：「這些孩子離開育場後，如何讓他們和異性交往？」

「交往？」

「彼此互相瞭解，」貝萊有點擔心該怎麼表達才保險，「以便有機會結婚。」

「那不是他們的問題。」克蘿麗莎說：「他們是由基因分析來配對的，通常在很小的時候就決定了。這是個明智的辦法，對不對？」

「他們總是欣然接受嗎？」

「你是指結婚？從來不會！那是個非常傷痛的過程。一開始，他們必須彼此適應，每天見面一下子，等到反感消失，就會出現奇蹟了。」

「萬一他們不喜歡自己的配偶呢？」

「什麼?如果基因分析顯示兩人適合婚配，又有什麼……」

「我瞭解了。」貝萊連忙說。他想到了地球，不禁嘆了一口氣。

克蘿麗莎說：「你還想知道些什麼嗎?」

如果繼續待下去，貝萊不太相信還能再有什麼收穫。他寧願就此告別克蘿麗莎和胎兒工程學，以便進行下一階段的調查。

他把自己的意思說了出來，就在這個時候，克蘿麗莎突然衝著遠處吼道：「你，小孩，就是你!你在做什麼?」然後，她轉過頭來說：「地球人!貝萊!小心!小心!」

貝萊沒聽清楚她說些什麼，僅僅針對她焦急的聲音做出反應。原本繃緊的情緒突然像是脫了韁，令他感到一陣恐慌。開放空間和無邊天際所帶來的恐懼感頓時爆發了。

貝萊彷彿站在很遠的地方旁觀這一切，他聽見自己發出一些無意義的聲音，又感覺到自己猛然雙膝著地，然後側身慢慢倒下去。

與此同時，他還聽到頭頂傳來一串破空之聲，最後以尖銳的重擊聲收尾。

貝萊閉上眼睛，雙手緊緊抓著浮在地表的小樹根，指甲深深陷入泥土中。

他睜開眼睛（一定只過了一兩秒而已）。克蘿麗莎正在厲聲責罵遠處一個小孩，而她身邊則多出一個默不作聲的機器人。在移開視線之前，貝萊只來得及看到小孩手中抓著一樣繃著一根弦的弧形物件。

貝萊氣喘吁吁地掙扎著爬起來。一根亮晶晶的金屬桿插在他靠過的那棵樹上，吸引了他的目光。他伸手向它抓去，很容易便拔了出來，原來並未刺入太深。他看了看尖端，但沒有伸手觸摸。雖然不算尖銳，可是若非他摔倒了，這玩意兒足以刺穿他的肌膚。

他至少試了兩次，才終於能邁開腳步。他一面向克蘿麗莎走去，一面喊道：「你，小孩。」

克蘿麗莎轉過頭來，看得出她漲紅了臉。她說：「這是個意外，你受傷了嗎？」

「沒有！這是什麼東西？」

「它叫弓箭，是用繃在弓上的弦來發射的。」

「像這樣。」那小孩囂張地說，同時向天空射出了一枝箭，隨即哈哈大笑起來。他看起來身軀柔軟，頭髮顏色很淡。

克蘿麗莎說：「你會受罰的。給我走吧！」

「等一等。」貝萊叫道，「我有些問題。你叫什麼名字？」他一面說，一面揉著被石頭撞傷的膝蓋。

「比克。」他吊兒郎當地答道。

「這枝箭是你射的嗎，比克？」

「是啊。」那孩子說。

「你可瞭解，如果我未能及時閃避，你就會射中我了？」

比克聳了聳肩。「我就是要射你。」

克蘿麗莎連忙接口：「你必須聽我解釋，射箭是一種受到鼓勵的運動。這種競技不需要身體的接觸，男孩一律透過顯像來比賽。我得承認只怕有些孩子會拿機器人當箭靶，他們自得其樂，而機器人又不會受傷。我是這塊屬地上唯一的成人，因此這孩子一定是把你當成機器人了。」

貝萊用心傾聽。他的腦筋漸漸清楚了，而他的長臉因而顯得更加憂鬱。「比克，你以為我是機器人嗎？」他問。

「不，」那小孩說：「你是地球人。」

「很好，走吧。」

比克立刻轉身，吹著口哨跑走了。貝萊轉向那個機器人，問道：「你！那個小孩怎麼會知道我是地球人？還有，他射箭的時候，你沒陪在他身邊嗎？」

「我的確陪著他，主人。我告訴他說你是地球人。」

「你有沒有告訴他『地球人』是什麼意思？」

「有的，主人。」

「地球人是什麼意思？」

「是一種次等人類，他們會傳播疾病，所以不該讓他們來到索拉利，主人。」

「這又是誰告訴你的，小子？」

機器人默然不語。

貝萊又問：「你知不知道這是誰告訴你的？」

「我不知道，主人。它來自我的記憶庫。」

「所以你告訴那孩子，我是個會傳播疾病的次等人類，他就立刻拿箭射我。你為何不阻止他呢？」

「我應該阻止的，主人。我不該坐視人類受到傷害，即使地球人也一樣。但他動作太快，我來不及反應。」

「或許你認為我只是地球人，並非道地的人類，所以有些猶豫。」

「沒有，主人。」

這句話回答得相當篤定，貝萊卻不高興地噘起嘴來。機器人的否認或許誠實不虛，可是貝萊覺得蹊蹺正在這裡。

他又問：「你陪在那孩子身邊做什麼？」

「我替他背箭筒，主人。」

「我能看看那些箭嗎？」

他伸出手來。機器人走到他近前，遞給他十來枝箭。貝萊謹慎地將那枝射中樹幹的箭放在腳旁，這才一一檢視其他那些箭。檢查完畢，他將那些箭奉還，再拾起原來那一枝。

他問：「你為何刻意拿這枝箭給那孩子？」

「沒有特別的原因，主人。他跟我要一枝箭，而我剛好摸到這枝。他四下尋找目標，然後發現了你。他問我這個陌生人是誰，我便解釋……」

「我知道你是怎麼解釋的。其他那些箭後面的羽毛都是黑色，只有你遞給他的這枝是灰色的。」

機器人乾瞪著眼睛，說不出話來。

貝萊繼續問：「你故意引導那小孩來這裡嗎？」

「我們信步走來的，主人。」

地球人貝萊從兩棵樹之間望出去，剛才那枝箭就是從這個空隙飛進來的。「有沒有可能，這個叫比克的小孩，他剛好是你們這裡最會射箭的？」

機器人點了點頭。「他是最優秀的射手，主人。」

克蘿麗莎目瞪口呆。「你是怎麼猜到的？」

「不難推想。」貝萊冷冷地說：「請你把這枝灰羽箭拿去和其他那些箭比較一下。唯有灰羽箭的箭頭似乎有點油。我不介意說得誇張一點，女士，你的警告救了我一命。我躲過的是一枝毒箭。」

第十三章　機器人學家

克蘿麗莎說：「不可能！老天啊，絕對不可能！」

「我不管你是老天啊還是老地啊。育場裡有沒有什麼可殺的動物？找一隻來，拿這枝箭劃牠一下，看看有什麼結果。」

「但為什麼會有人想要……」

貝萊厲聲道：「我知道為什麼。問題是，誰幹的？」

「誰也不會幹這種事。」

貝萊再度感到有點頭昏眼花，脾氣也暴躁起來。他將那枝箭朝她丟過去，她則低頭盯著它著地的位置。

「撿起來。」貝萊喊道，「你若不想做實驗，就把它毀掉。留它在那裡，萬一讓哪個小孩拿去，就會發生意外。」

她連忙撿起那枝箭，用拇指和食指捏著。

貝萊拔腿奔向最近的一扇門，克蘿麗莎緊隨著他進入室內，那枝箭一直被她小心翼翼地捏在手上。

進入封閉空間之後，貝萊覺得心情平靜了一點。他說：「毒箭是誰做的？」

「我想不出來。」

「我認為不太可能是那男孩自己做的。你有沒有辦法知道他的父母是誰？」

「我們可以查資料。」克蘿麗莎沉著臉答道。

「所以說，你們的確保有親屬關係的資料？」

「為了基因分析，一定要這麼做。」

「那孩子知道他的父母是什麼人嗎？」

「絕對不知道。」克蘿麗莎斬釘截鐵地說。

「他有沒有什麼辦法查到？」

「他得闖進資料室，那是不可能的。」

「假設有個成年人來訪，想要知道自己的孩子是哪……」

克蘿麗莎面紅耳赤。「幾乎不可能有這種事。」

「假設一下無妨。如果他這麼問，會得到答案嗎？」

「我不知道。其實，他這麼問並非不合法，只是絕對違反習俗。」

「你會告訴他嗎？」

「我會盡量別說。我知道德拉瑪博士不會說，他堅信親屬關係資料應該僅供基因分析。在他之前，或許沒有那麼嚴格……總之，你問這些問題做什麼？」

「我看不出那孩子自己能有什麼動機，所以我想，他可能受了父母的利用。」

「實在太可怕了。」心慌意亂之下，克蘿麗莎不知不覺離貝萊越來越近，甚至伸出手來指著他。「怎麼會發生這些事呢？老板被殺了，你也險些遭到殺害。在我們索拉利上，誰也沒有訴諸暴力的動機啊。我們要什麼有什麼，所以不會有個人的野心。我們對親屬關係一無所知，因此家族的野心也無從存在。我們個個都擁有健康的基因。」

她隨即做恍然大悟狀。「慢著，這枝箭不可能有毒，我不該讓你說服我相信這種事。」

「你為何突然這麼肯定？」

「比克身邊那個機器人絕不會容許他下毒。我無法想像它會做出任何令人類受到傷害的事。這是機器人學第一法則給我們的保證。」

貝萊問：「是嗎？我有點好奇，第一法則到底保證了什麼？」

克蘿麗莎茫然地瞪著他。「你這話什麼意思？」

「沒什麼意思。你去化驗一下箭頭，就會發現它有毒。」貝萊幾乎懶得再討論這個問題，他對自己的判斷沒有絲毫懷疑。「你仍舊相信德拉瑪夫人是殺害丈夫的兇手嗎？」他轉換了話題。

「事發當時，她是唯一在場的人。」

「我懂了。可是，當我差點被毒箭射中的時候，唯一在場的成年人則是你。」

她中氣十足地吼道：「我和這件事毫無關係。」

「或許吧。但德拉瑪夫人或許同樣是無辜的。我能使用你的顯像裝置嗎？」

「當然可以。」

貝萊心知肚明，他打算聯絡的人絕非嘉蒂雅。因此，當他聽到自己說出「找嘉蒂雅・德拉瑪」這幾個字，內心感到驚訝不已。

機器人毫無異議地服從命令，開始進行顯像操作。貝萊望著它，心中的詫異有增無減，怎麼也想不通自己為何下達這個命令。

是因為剛才他們討論到了她這個人？還是因為上回顯像時不歡而散，令他有點不安？或者僅僅由於他看久了克蘿麗莎粗壯的、幾乎可說是中用不中看的體型，因而覺得有必要再瞥嘉蒂雅一眼，才能取得視覺上的平衡？

他在內心替自己辯護：耶和華啊！有時男人必須懂得隨機應變。

嘉蒂雅立刻出現在他面前。由於坐在一張巨大筆直的椅子裡，她顯得比先前更嬌小，而且更無助。她的頭髮向後梳，盤成一個鬆鬆的髻。她雙耳都戴了長長的耳環，上面的飾物很像是鑽石。這回她的穿著相當簡單，腰身束得很緊。

她低聲說：「我很高興你又顯像了，以利亞，我一直在設法找你。」

「早安，嘉蒂雅。」（午安？晚安？他不知道嘉蒂雅的當地時間，也無法從她的穿著判斷出來。）「你為什麼一直在找我？」

「為了告訴你，我對上次顯像時的情緒失控感到抱歉。連奧利瓦先生都不知道你在哪裡。」

貝萊眼前突然浮現丹尼爾仍被那些機器人嚴加看管的畫面，差點笑了出來。他說：「別放在心上了。我會在幾小時後去見你。」

「當然沒——見我？」

「真正面對面。」貝萊鄭重其事地說。

她睜大眼睛，指甲陷進柔軟的塑質扶手中。「你這麼做有任何原因嗎？」

「我必須這麼做。」

「我認為沒……」

「你允許嗎？」

她別過頭去。「有絕對的必要嗎？」

「有的。不過，我必須先去見另一個人。你丈夫生前對機器人很感興趣，你跟我提過這件事，我也從別處獲得了佐證。可是，他自己並非機器人學家吧？」

「他學的不是這個，以利亞。」她仍舊避開他的目光。

「但他和一名機器人學家合作，對不對？」

「約珊・李比，」她立刻答道：「他是我的好朋友。」

「是嗎？」貝萊精神為之一振。

嘉蒂雅似乎嚇了一跳。「我不該這麼說嗎？」

「如果是實情，又有何不可？」

「我總是擔心會說錯話，令我自己好像——你不瞭解我現在的處境，大家都咬定我做了一件壞事。」

「放輕鬆點。李比怎麼會是你的朋友呢？」

「喔，我也講不清楚。或許原因之一，是他的屬地就在旁邊，顯像幾乎不需要能量，因此我們隨時隨地可以顯像，連自由行動也沒什麼困難。我們總是一起散步，至少以前常這麼做。」

「我不知道你能和別人一起散步。」

嘉蒂雅面紅耳赤。「我是說透過顯像。哎呀，我常常忘記你是地球人。自由行動顯像是指鏡頭跟著我們跑，無論雙方走到哪裡，聯繫始終不會中斷。我們分別在自己的屬地，我走我的，他走他的，但我們始終在一起。」她揚起下巴，「這能帶來許多歡樂。」

然後，她突然吃吃笑了起來。「可憐的約珊。」

「為何這麼說？」

「我想到你以為我們並非透過顯像，而是真正一起散步。他要是知道竟然有人這麼想，一定會氣死。」

「為什麼？」

「這方面他很極端。他告訴過我，打從五歲起就再也不見任何人，一律只用顯像。有些小孩就是這樣。瑞坎恩——」她頓了頓，顯得有點困惑，然後繼續說：「瑞坎恩，我的丈夫，當我提到約珊的時候，他曾對我說，會有越來越多的小孩像他那樣。他還強調這是一種社會進化，不愛用顯像的會逐漸被淘汰。你認為有道理嗎？」

「我沒資格回答這個問題。」貝萊說。

「約珊甚至不肯結婚。瑞坎恩因此很生氣，告訴他這是反社會的行為，而且我們的基因庫需要他貢獻基因，但約珊硬是不肯考慮。」

「他有這個權利嗎？」

「沒——有。」嘉蒂雅頗為遲疑地說：「但他是個非常傑出的機器人學家，你知道吧，而機器人學家在索拉利十分受重視。我猜他們對他特別通融吧。不過，我想瑞坎恩打算終止和約珊的合作。他曾告訴我，約珊是索拉利的敗類。」

「他跟約珊這麼說過嗎？」

「我不知道。他去世前，一直和約珊維持著合作關係。」

「但他認為約珊是索拉利的敗類，因為他拒絕結婚？」

「瑞坎恩曾經說，婚姻是生命中最困難的事，但無論如何要忍受。」

「你怎麼想呢？」

「你指哪方面，以利亞？」

「婚姻，你也認為它是生命中最困難的事嗎？」

她的表情逐漸變得空洞，彷彿她正盡力摘除掛在臉上的情緒。「我沒想過這個問題。」她答道。

貝萊又問：「你原本說總是和約珊·李比一起散步，隨即改口說那是以前的事。所以，你不再和他一起散步了？」

嘉蒂雅搖了搖頭，臉上再度有了表情——悲傷。「對，似乎再也不會了。我聯絡過他一兩次，他總是很忙的樣子，所以我不想——你知道我的意思。」

「這是你丈夫死後的事嗎？」

「不，在那之前，至少好幾個月吧。」

「你會不會認為是德拉瑪博士命令他別再理你？」

嘉蒂雅似乎又嚇了一跳。「他為何要這麼做？約珊又不是機器人，我當然也不是。瑞坎恩為何要對我們下令，我們又怎麼會接受他的命令？」

貝萊懶得再多做解釋了。如果真要解釋，他也只能用地球的詞彙，那會使她越聽越糊塗。萬一她真聽懂了，也只會感到噁心而已。

貝萊說：「只是隨便問問罷了。等我找到李比之後，嘉蒂雅，我會再跟你聯絡。對了，你那裡現在是什麼時間？」脫口而出之後，他立刻後悔了。機器人會換算成地球時間來回答這個問題，但嘉蒂雅說的很可能是索拉利鐘點，而貝萊再也不想表現得那麼無知了。

好在嘉蒂雅並未使用鐘點，只是約略地說：「下午。」

「所以李比的屬地也是下午嘍？」

「是啊。」

「很好，我會盡快再跟你聯絡，到時我們再來安排見面。」

她又猶豫起來。「有絕對的必要嗎？」

「是的。」

她低聲答道：「好吧。」

聯絡李比有點小困難，貝萊利用這個空檔又吃了一個三明治——一個原本並未拆封的三明治。不過他越來越謹慎了，在拆封之前，他先仔細檢查了封套，然後又花了很大的力氣，把三明治也好好檢查了一遍。

吃完後，他拿起一個密封的塑膠容器，用牙齒咬出一個開口。那是一罐未完全解凍的牛奶，而他就直接這麼喝了。他悶悶不樂地想到，據說有些無臭無味的慢性毒藥，能夠藉著針頭或高壓注射神不知鬼不覺地注入容器內。他隨即覺得這個想法太幼稚，便將它拋在腦後了。

目前為止，這幾樁謀殺都是以最直接的方式進行的。無論是把受害者的頭部打爛、將毒得死十幾個人的毒藥放進杯子裡，或是公然以毒箭發動攻擊，通通算不上精巧的手法。

然後他又（幾乎同樣悶悶不樂地）想到，如果自己一直在許多時區之間跳來跳去，就不可能有規律的用餐時間。而如果這麼持續下去，規律的睡眠也將與他絕緣。

機器人來到他身邊。「李比博士指示你明天再找時間聯絡，他正忙著一件重要的事。」

貝萊跳了起來，高聲吼道：「你去告訴那傢伙……」

他並未說下去。對機器人大吼大叫根本沒用。或者應該說，你想吼想叫當然隨便你，得到的結果卻和輕聲細語沒有兩樣。

他改用平常的語氣說：「你去告訴李比博士——或是他的機器人，如果你見不到他本人的話——就說我正在調查一樁謀殺案，死者是個優秀的索拉利公民，而且跟他有事業上的合作關係。你告訴他，我不能等他把事情做完。然後你再告訴他，如果五分鐘內沒看到他顯像，我馬上飛去他的屬地，一小時內就會跟他面對面。你就用『面對面』這三個字，以免有任何誤會。」

說完，貝萊繼續吃他的三明治。

結果還不到五分鐘，李比——其實是個陌生的索拉利人，但貝萊假定他就是李比——已經在他面前齜牙咧嘴。貝萊也不甘示弱地還以顏色。

身材瘦削的李比站得筆直。他有一雙鼓凸的黑眼珠，令他看起來一副心不在焉的樣子，更何況這時他的雙眼滿是怒火。他的另一個特徵是一邊的眼瞼有點下垂。

他說：「你就是那個地球人？」

「以利亞·貝萊，」貝萊答道：「C7級便衣刑警，正在負責偵辦瑞坎恩·德拉瑪博士的命案。你叫什麼名字？」

「我是約珊·李比博士。你怎麼有這個膽子打斷我的工作？」

「很簡單，」貝萊平心靜氣地說：「這是我的工作。」

「把你的工作拿到別處做去。」

「我得先問你幾個問題，博士。我確信你和德拉瑪博士曾有密切的合作關係，對嗎？」

李比突然攥起一隻拳頭，朝一個壁爐大步走過去。壁爐上有個小巧的機械裝置，正在進行著繁複的週期運動，令人看得眼花撩亂。

顯像的鏡頭一直聚焦在李比身上，因此當他走動時，身體始終保持在投影的正中央。相較之下，室內的景物似乎不斷後退，而且伴隨著小幅的起伏。

李比說：「如果你就是葛魯爾堅持要找來的外星人士……」

「正是在下。」

「那你就是我所反對的對象。顯像結束。」

「且慢，別切斷。」貝萊不但猛然提高音量，還猛然伸手指向對方，機器人學家則做了一個明顯的閃避動作，同時扁起嘴來，顯得極其厭惡。

貝萊說：「你該知道，我說要和你面對面，絕非虛張聲勢。」

「別耍地球人的野蠻，拜託。」

「我只是想用最直截了當的方式做個說明。如果我不能透過顯像和你說話，就只好直接去見你了。我會抓著你的衣領，讓你不得不聽我說。」

李比回瞪他一眼。「你是卑鄙下流的野獸。」

「隨便你怎麼講，但我會照我說的來做。」

「如果你試圖侵入我的屬地，我就……我就……」

貝萊揚了揚眉。「就殺了我？你常常做這種威脅嗎？」

「我沒威脅誰。」

「那就開口吧。如果你沒有浪費時間，我們可能已經談得差不多了。你和德拉瑪博士曾有密切的合作關係，對嗎？」

機器人學家低下頭來。他的肩膀微微起伏，顯示他的呼吸逐漸平穩緩和了。等到再抬頭時，他已經恢復自制，甚至勉強擠出一個短暫而無力的笑容。

「對。」

「據我所知，德拉瑪對新型機器人很感興趣。」

「是的。」

「哪種機器人？」

「你是機器人學家嗎？」

「不是，請別對我說行話。」

「我懷疑自己是否做得到。」

「試試看！比方說，我想他希望能讓機器人有辦法教訓小孩，這牽涉到哪些修改？」

李比稍稍揚了揚眉，然後說：「如果略過所有的細節，用最簡單的方式來說，就是要提高C積分的強度，以便影響W65階上的斯氏串聯路徑反應。」

「你在故弄玄虛。」貝萊說。

「這是實情。」

「在我聽來就是故弄玄虛。你還能換個什麼說法嗎？」

「就是在某種程度上削弱第一法則。」

「為什麼呢？管教孩子是為了他的將來著想。這理論有什麼不對？」

「啊，為了將來著想！」李比激動得雙眼放光，他似乎越來越不在意對方，越來越能滔滔不絕。「你認為這是簡單的觀念？有多少人會為了美好的將來，而願意接受一點點的不便？我們都知道為了避免胃痛，現在應該少吃點美食；或是為了治療胃痛，現在必須吞下苦口良藥，可是小孩需要花多少時間才能學會呢？而你，竟然想要機器人瞭解這個道理？

「機器人如果打痛小孩，正子腦就會產生很強的干擾電位。要抵消這個電位，機器人必須明白『為了將來著想』是什麼意思，這需要很多額外的正子徑路才做得到，除非犧牲其他一些電路，否則正子腦的重量會增加百分之五十。」

貝萊說：「所以，你並沒有成功造出這樣的機器人。」

「沒有，我也不太可能成功，任何人都不可能。」

「德拉瑪博士遇害的時候，是不是正在測試這樣的實驗機型？」

「不是那種機型。我們也在研究其他比較實用的機型。」

貝萊心平氣和說：「李比博士，我得多學一點有關機器人學的知識，我要請你教我。」

李比拚命搖頭，原本下垂的眼皮垂得更低了，勉強可以說有點像瞇著一隻眼睛。「機器人學的知識絕非一時半刻能說清楚的，我沒那個時間。」

「縱然如此，你還是必須教我。在索拉利這個世界上，機器人的氣息幾乎無處不在。如果我們需要多花些時間，我就更有必要和你面對面交談。我是地球人，無法透過顯像安心自在地工作或思考。」

在貝萊想像中，李比的強硬態度已經到頂了，但事實則不然。只聽他說：「你們地球人的恐懼症與我無關，面對面絕無可能。」

「我想你會改變主意的，因為我馬上要告訴你，我想請教你的主要是什麼問題。」

「不會的，沒有什麼能改變我的心意。」

「是嗎？那麼聽好，我堅決相信在正子機器人的發展史上，機器人學第一法則一直遭到刻意的曲解。」

李比彷彿突然抽了筋。「曲解？傻瓜！瘋子！為什麼？」

「為了掩蓋一個事實，」貝萊泰然自若地說：「機器人能夠進行謀殺。」

第十四章　動機

李比慢慢張大嘴巴。貝萊起初以為他要咆哮一番，後來卻相當驚訝地發現，那是他生平所見最不成功的一個笑容。

李比開口道：「別這麼說，千萬別這麼說。」

「為什麼？」

「因為那是有害的言論，會削弱人類對機器人的信心，任何這類言行都是有害的。不信任機器人是人類的通病！」

他彷彿是在教訓小孩子；彷彿是將一串怒吼刻意輕聲細語地說出來；彷彿他雖然很想祭出死刑，仍先試著勸誘對方浪子回頭。

李比問道：「你對機器人學的歷史清楚嗎？」

「還可以。」

「身為地球人，你應當清楚。你可知道，機器人剛出現的時候，引發了很強的科學怪人情結？人類對機器人充滿疑慮，非但不信任它們，而且心懷恐懼。於是，機器人學幾乎成了一門地下科學。機器人之所以個個內建三大法則，最初就是為了克服這種疑慮，但即便如此，地球上還是不可能發展出機器人化的社會。當初會有人離開地球，移民到銀河其他角落，原因之一就是為了善加利用機器人，好讓人類永遠脫離貧困勞苦。可是，大家對機器人仍有潛在的疑慮，一有什麼風吹早動，這種心理便會竄出來作怪。」

「這種不信任機器人的內心掙扎，你自己也經歷過嗎？」貝萊問。

「很多次。」李比繃著臉說。

「莫非這就是你們這些機器人學家願意稍微曲解事實，以便盡可能消除疑慮的原因？」

「我們沒有曲解任何事！」

「比方說，三大法則沒遭到曲解嗎？」

「沒有！」

「我能提出明確的證據。除非你有辦法說服我，否則只要有機會，我就會向全銀河證明這件事。」

「你瘋了。我向你保證，無論你自以為掌握了什麼證據，都一定靠不住。」

「我們是不是該討論一下？」

「如果不太花時間的話。」

「面對面討論？」

李比那張瘦臉扭成了一團。「不行！」

「再見了，李比博士。會有人願意聽我說的。」

「慢著。銀河啊，老兄，慢著！」

「見面？」

機器人學家將雙手舉到下巴附近，晃來晃去了一陣子。只見一隻拇指慢慢鑽進他嘴巴裡，就再也沒有出來了。他的眼睛則茫然地望著貝萊。

貝萊心想：他是不是讓自己退回到五歲之前，以便心安理得地和我相見？

「見面？」他又說。

不料李比緩緩搖了搖頭。「我做不到，做不到。」他含著拇指，口齒不清地呻吟。「你愛怎麼做就怎麼做吧。」

在貝萊的瞪視下，李比轉過身去面對著牆壁。這個直挺挺的索拉利人終於折腰了，還將臉孔埋到了顫抖的雙手中。

貝萊說：「好吧，我同意，就用顯像吧。」

李比背對著他說：「失陪一會兒，我馬上回來。」

貝萊利用這段空檔去了一趟衛浴間，然後，他從鏡子裡端詳那張剛剛洗過的臉。自己是否逐漸受到索拉利和索拉利人的影響？他心中沒有答案。

他嘆了一口氣，拍下按鍵召來一個機器人。然後，他沒轉頭便說：「除了我正在用的這一台，育場裡還有其他的顯像儀嗎？」

「另外還有三個機座，主人。」

「那你就告訴克蘿麗莎・康特羅——告訴你的女主人，我要繼續使用這台，請她別打擾我。用完了，我自會跟她說。」

「是的，主人。」

貝萊回到原來那個房間，顯像儀依舊對準李比剛才現身之處。現在那裡仍是一片空洞，他索性坐下來等待。

不多久李比便出現了，隨著他的腳步，房間彷彿又開始輕微晃動。顯然，鏡頭毫無延遲地從鎖定房中央轉為鎖定他這個人。貝萊想起顯像控制的複雜程度，不禁感到有點肅然起敬。

李比幾乎恢復正常了，這相當明顯。他的頭髮梳得服貼，衣服也換過了。他現在穿著一套寬鬆的服裝，閃閃發光的質料十分吸引目光。他從牆上拉出一張椅子坐了下來。

「你對第一法則到底有什麼獨到的看法？」他一本正經地說。

「我們會遭竊聽嗎？」

「不會，我做了預防。」

貝萊點了點頭。「我先來引述一下第一法則。」

「我看沒必要。」

「我知道，但還是讓我引述一下吧：機器人不得傷害人類，或因不作為而使人類受到傷害。」

「怎麼樣？」

「且說剛抵達索拉利時，我是搭乘地面車前往指定給我的屬地。為了避免讓我接觸到開放空間，那輛地面車在行進中完全封閉。身為地球人……」

「這點我知道，」李比不耐煩地說：「但這又和第一法則有什麼關係？」

「駕駛那輛車的機器人並不知道這一點。我要它打開天窗，它立刻遵命了。根據第二法則，它必須服從命令。我當然覺得很不舒服，好在天窗及時關閉，否則我就要崩潰了。能不能說那機器人傷害了我？」

「它是奉命行事。」李比回嘴道。

「我來引述一下第二法則：除非違背第一法則，機器人必須服從人類的命令。所以你看，我的命令應該無效才對。」

「荒謬。機器人並不知道……」

坐在椅子上的貝萊傾身向前。「啊！這就對了。讓我們把最正確的第一法則說一遍吧：機器人不得在知情的情況下傷害人類，或在知情的情況下因不作為而使人類受到傷害。」

「這個道理大家都懂。」

「我認為一般人並不懂。否則，人人都會瞭解機器人能進行謀殺。」

李比臉色蒼白。「你有精神病！你是瘋子！」

貝萊凝視著自己的指尖。「我想，凡是不會對人類造成傷害的任務，機器人都會執行？」

「必須有人下令。」李比說。

「是的，當然必須有人下令。而如果有另一個機器人，奉命執行另一件任務，只要這件任務不會對人類造成傷害，我想它也是會執行的？」

「沒錯。」

「有沒有可能，這兩件任務本身對人類都毫無危害，加在一起卻構成了一樁謀殺案？」

「什麼？」李比的表情變得很陰沉。

「我想請教你對這個問題的專業意見。」貝萊說：「我來說一個假設性個案吧。假設某人對機器人說：『把這種液體放一點到某處的一壺牛奶裡。這種液體無毒無害，我只是想知道它對牛奶有何影響。一旦我確定了，便會把那壺牛奶倒掉。等你做完這項工作，把它忘得一乾二淨。』」

李比依舊沉著臉，什麼也沒說。

貝萊繼續說道：「如果我叫機器人把那個神祕液體加到牛奶裡，然後拿給某人喝，第一法則會促使它提出質疑：『這個液體到底是什麼？會不會對人類有害？』即使我向機器人保證這麼做絕對安全，第一法則還是會讓它存疑，因而拒絕端出那壺牛奶。然而，如果我告訴它最後會把牛奶倒掉，第一法則就不會介入了。請問機器人會不會服從命令？」

李比開始面露兇光。

貝萊又說：「然而，第二個機器人並不知道那壺牛奶被動了手腳。在完全不知情的情況下，它把牛奶倒出一杯給某人喝，而那人就被毒死了。」

李比大叫一聲：「不會的！」

「為何不會？兩件任務本身都是無害的，只有加在一起才會構成謀殺。難道你否認有這種可能性嗎？」

「兇手應該是那個下令的人。」李比吼道。

「如果你追根究柢，這麼說當然沒錯。不過，那兩個機器人卻是直接的兇手，是行兇的工具。」

「沒有人會下這種命令。」

「有這種人，而且他真做了。謀殺葛魯爾局長一定就是用這種方法進行的。我想，你應該聽說過這件事了。」

「在索拉利，」李比喃喃道：「每件事都會傳到你耳朵裡。」

「那你就該知道，葛魯爾是在吃晚餐時遭毒害的，而且是當著兩個人的面，除了我自己，還有我的搭檔，也就是來自奧羅拉的奧利瓦先生。你能想出把毒藥送進他嘴裡的第二種方法嗎？當時，他的屬地上沒有別人。身為索拉利人，你一定明白這個事實。」

「我又不是警探，我對犯罪手法一竅不通。」

「我已經告訴你一種了。我想知道它是否可能；我想知道兩個不知情的機器人能否合作完成一件謀殺案。你是專家，李比博士，有這個可能嗎？」

不堪其擾的李比終於答道：「可能。」聲音低到貝萊幾乎聽不見。

貝萊說：「很好。第一法則的討論到此為止。」

李比瞪著貝萊，下垂的那個眼皮慢慢眨了一兩下。他原本緊握的雙手也彼此分了開，不過手指並未伸直，彷彿兩隻手仍舊各握著一隻隱形的手掌。最後，他終於把雙手擺到膝蓋上，直到這個時候，十根指頭才總算放鬆了。

貝萊出神地瞧著整個過程。

李比說：「理論上有可能，僅僅理論上！可是地球人，別那麼容易就把第一法則否定了。想要智取第一法則，你必須對機器人下達非常高明的命令才行。」

「同意。」貝萊說：「我只是個地球人，我對機器人幾乎一無所知，剛剛我說的那些命令只是舉例而已。在這方面，索拉利人一定比我優秀得多，下的命令也高明得多。這點我很肯定。」

李比恐怕根本沒聽進這句話，他高聲道：「萬一機器人真能用來傷害人類，那就意味著正子腦的功能必須趕緊擴充。或許有人會說我們應當改良人類的品行，但那是不可能的，所以必須讓機器人更不容易受騙。

「我們一直有進展，相較於一個世紀前，我們的機器人變得更多元，更專門化，能力更強，而且更加安全了。而一個世紀之後，我們還會有更多的進展。如果船艦的操控裝置能夠內建正子腦，何必還要由機器人操控那些裝置呢？這就是專門化。不過，我們也能朝普遍化發展。何不替機器人裝上可置換的四肢，啊？有何不可呢？如果我們……」

貝萊突然打岔：「你是索拉利上唯一的機器人學家嗎？」

「別傻了。」

「我只是好奇。比方說，除了他的助手，德拉瑪博士就是你們唯一的——呃——胎兒工程師。」

「索拉利上的機器人學家超過二十位。」

「你是最優秀的一位嗎？」

「是的。」李比大言不慚地說。

「德拉瑪生前和你合作過。」

「是的。」

貝萊又說：「據我所知，後來他打算終止和你的合作關係。」

「沒這跡象啊。你怎麼會這麼想？」

「據我所知，他很不認同你的獨身主義。」

「或許吧，他是個典型的索拉利人。然而，這並不影響我們兩人在事業上的合作。」

「換個話題。除了發展新型機器人，你是否也負責製造和修理現有的機型？」

李比答道：「製造和修理的工作主要由機器人執行。在我的屬地上，有一間很大的工廠，以及一間維修廠。」

「順便問問，機器人是否經常需要修理？」

「恰好相反。」

「這是否意味著你們尚未發展出修理機器人的科學？」

「沒這回事。」李比硬邦邦地說。

「那個出現在德拉瑪博士兇案現場的機器人，現在情況如何？」

李比別過頭去，只見他雙眉深鎖，彷彿試圖將一個痛苦的想法鎖在心頭之外。「完全毀了。」

「真的完全毀了？它還能回答什麼問題嗎？」

「什麼也答不出來，百分之百成了廢物。它的正子腦完全短路了，沒有一條徑路完好。想想看！它目睹了一場謀殺，而它竟然無法阻止……」

「對了，它為什麼會無法阻止呢？」

「誰曉得？當時德拉瑪博士正在研究那個機器人，我不知道它被設定成怎樣的心理模式。比方說，他也許正在檢查一個特殊的電路元件，因而命令它暫停所有的運作。這時，如果有個德拉瑪博士和那機器人都絕不會懷疑的人，突然發動致命的攻擊，機器人就很可能需要一些時間，才能藉由第一法則電位克服德拉瑪博士的暫停命令。至於這段時間到底有多長，則取決於攻擊的方式，以及德拉瑪博士到底下達了怎樣的命令。此外，我還可以想出十幾個理由，來解釋機器人為何無法阻止那樁謀殺。然而，無法阻止就是違背了第一法則，這就足以把機器人腦中的正子徑路通通燒壞。」

「但機器人既然根本無能為力，它還需要負責嗎？第一法則會要求機器人執行不可能的任務嗎？」

李比聳了聳肩。「儘管你試圖把第一法則說得一文不值，其實它對人類的保護是無所不用其極的。它絕不允許任何藉口。只要違背第一法則，機器人一定完蛋。」

「這是個普適的規律嗎，博士？」

「所有的機器人普遍適用。」

貝萊說：「我真學到了一點東西。」

「那就再多學一點吧。你剛剛提出的那個理論，什麼兩個無害的機器人加起來就能完成一樁謀殺，對於偵辦德拉瑪博士的命案根本毫無幫助。」

「為什麼？」

「他的死因並非中毒，而是遭到鈍器重擊。必須有人揮動那個兇器，請注意一定是人，而絕非機器人。沒有任何機器人會砸爛人類的頭顱。」

「假設在不知情的情況下，」貝萊說：「某個機器人按下啟動機關的按鍵，讓重物掉到德拉瑪頭上。」

李比冷笑了一下。「地球人，我以顯像看過兇案現場。我也熟悉這則新聞，你該知道，這樁謀殺是索拉利上的大事。所以我很清楚，並無跡象顯示現場架設過什麼機械裝置，或曾有任何重物墜落。」

貝萊說：「所以也沒有什麼鈍器嘍。」

李比挖苦道：「你是警探，找出來啊。」

「既然機器人不可能殺害德拉瑪博士，那麼兇手到底是誰呢？」

「人人都知道兇手是誰。」李比吼道，「他的妻子！嘉蒂雅！」

貝萊心想：至少這點是他們一致的共識。

他提高音量道：「那麼，毒害葛魯爾的機器人又是服從何方神聖的命令呢？」

「我想這……」李比越說越小聲。

「你該不會認為兇手另有其人吧？倘若第一個案子是嘉蒂雅幹的，第二個案子她也一定脫不了干係。」

「沒錯，你說得很對。」他的聲音又恢復了信心，「一定就是這樣。」

「一定？」

「別人通通無法和德拉瑪博士接近到能下殺手的距離。他和我一樣堅決不見人，只不過他對一個人破例，那就是他的妻子，而我則沒有任何例外。我比較聰明。」機器人學家狂笑幾聲。

「我相信你認識她。」貝萊冷不防地說。

「認識誰？」

「她。我們只談論過一個『她』，嘉蒂雅！」

「誰告訴你說我跟她特別熟？」李比追問。他將手舉到喉嚨附近，把衣服的頸部接縫拉下一英寸，好讓呼吸順暢些。

「嘉蒂雅自己說的。你們常常一起散步。」

「是嗎？我們是鄰居，這是很平常的一件事。她算是個挺可愛的人。」

「所以說，你對她有正面評價？」

李比聳了聳肩。「和她聊天是件輕鬆愉快的事。」

「你們聊些什麼？」

「機器人學。」他的回答透著幾分訝異，彷彿這是個意料之外的問題。

「她也聊機器人學嗎？」

「她對機器人學一竅不通，完全不懂！但她聽得進去。而她會說些她自己在玩的力場什麼的，她稱之為力場彩繪。我對那玩意兒提不起勁，但我願意聽聽。」

「你們始終沒有面對面？」

李比露出嫌惡的表情，並未回答這個問題。

貝萊另起爐灶，問道：「她對你有吸引力嗎？」

「什麼？」

「你覺得她對你有吸引力嗎？肉體上的？」

李比瞪大眼睛，連那個不太正常的眼皮都揚了起來。「卑鄙下流的野獸。」他用顫抖的嘴唇吐出這幾個字。

「那就讓我換個方式說吧。你什麼時候開始覺得嘉蒂雅不可愛了？剛才你用了『可愛』兩字，希望你還記得。」

「你這話是什麼意思？」

「你說你曾經覺得她可愛，如今你又相信她謀殺了親夫，所以應該不覺得她可愛了。」

「之前我看錯了她。」

「就算她真是兇手吧，可是在她殺害親夫之前，你便認定自己看錯了人。早在兇案發生前好一陣子，你已經不再和她一起散步了。為什麼呢？」

李比說：「這重要嗎？」

「在被過濾之前，任何事物都是重要的。」

「聽好，如果你要我以機器人學家的身份提供意見，儘管發問，但我可不回答任何私人問題。」

貝萊說：「你和本案的死者以及主嫌都曾經有密切的關係，難道你看不出私人問題是免不了的嗎？你到底為什麼不再和嘉蒂雅散步了？」

李比回嘴道：「我忽然發覺和她沒話可說了，忽然發覺自己太忙了，忽然發覺和她散步沒什麼意義了。」

「換句話說，你忽然發覺她不再可愛了。」

「好，就算是吧。」

「她為什麼突然不再可愛了？」

李比咆哮道：「不為什麼。」

貝萊並不理會對方的激動。「但你仍然十分瞭解嘉蒂雅，她究竟會有什麼動機呢？」

「什麼動機？」

「誰也沒有跟我提過她的動機。不用說，嘉蒂雅絕不會無緣無故犯下謀殺案。」

「銀河啊！」李比仰起頭來，彷彿準備張口大笑，結果卻沒有。「沒人告訴你嗎？嗯，或許沒有人知道。不過我知道，她告訴過我，她常常跟我說。」

「跟你說什麼，李比博士？」

「唉，她經常和她丈夫吵架，而且吵得很兇。她恨他，地球人。真的沒有人告訴過你嗎？她自己也沒告訴你嗎？」

第十五章　光雕

貝萊像是眉心著實挨了一記，但他努力表現得若無其事。

從索拉利人的生活方式看來，他們想必將私生活看得神聖不可侵犯。凡是有關婚姻或子女的問題一律上不得檯面。因此他假設，夫妻之間也有可能出現經常性的爭吵，但同樣被視為不可打探的隱私。

可是如果牽涉到命案呢？難道也沒有人甘冒大不韙，詢問嫌犯是否經常和丈夫吵架嗎？而那些知道內情的人，應訊時難道也不會稍微提一下嗎？

嗯，至少李比做到了。

貝萊問：「他們到底吵些什麼？」

「我想，你最好還是問她吧。」

貝萊心想此話有理。他硬邦邦地站了起來。「李比博士，謝謝你的合作。稍後我或許還會需要你的協助，希望能隨時聯絡到你。」

「顯像結束。」剛說完，李比和他那部分的房間立刻消失無蹤。

貝萊竟然不在乎搭飛機穿越開放空間了，這還是生平頭一遭。非但一點也不在乎，而且幾乎有如魚得水的感覺。

他甚至並未想到地球或潔西。離開地球才不過幾個星期，感覺上卻好像有好幾年了。而他來到索拉利還不滿三天，居然像是已經住了一輩子。

一個人對惡劣環境的適應，真有那麼快嗎？

或者是因為嘉蒂雅的關係？他很快就要見到她，真正地面對面。莫非他的信心正是由此而來，而那種交織著憂慮和期待的古怪感受也同出一源？

她能忍受面對面嗎？他十分好奇。她會不會像奎摩特那般，不到幾分鐘便溜走，然後以顯像求饒？

當他進門時，她正站在狹長房間的另一頭等著他。今天，她幾乎像是印象派畫家筆下的人物，被濃縮到了最本質的成分。

她的嘴唇擦著淡淡的口紅，眉毛輕輕畫了幾筆，耳垂則塗著淡藍色，但除此之外，她臉上未施任何脂粉。她看起來有點蒼白，有些害怕，而且非常年輕。

她淡棕色的頭髮向後梳，灰藍色的眼珠顯得有些羞澀。她穿著一身暗藍色的服裝，說是黑色也不為過，只有兩側鑲著細細的白色滾邊。她藉著長袖遮住手臂，並戴著一副白手套，外加一雙平底鞋。除了臉龐，她可以說沒有任何肌膚顯露在外，就連脖子都繞著一圈不算起眼的褶帶。

貝萊停下腳步。「這個距離夠近了嗎，嘉蒂雅？」

她的呼吸有點急促。「我差點忘了你真的會來到面前。這和顯像沒什麼差別，不是嗎？我的意思是，只要別想著是面對面就行了。」

貝萊說：「對我而言相當稀鬆平常。」

「在地球上，的確。」她閉上眼睛，「有時我也會試著想像那種情形。到處擠滿了人，你走在路上，身旁總是有其他人，對面還會有人迎面向你走來。幾十個……」

「幾百個。」貝萊說：「你可曾在膠捲書中看過地球的照片？或是在小說中讀到過地球的場景？」

「那種書我們這兒不多，但我讀過以其他外圍世界為背景的小說，在那些世界上，面對面是家常便飯。小說裡沒有什麼新奇感，似乎像是多方顯像而已。」

「小說中的人物會接吻嗎？」

她羞得滿臉通紅。「我不讀那種小說。」

「從不？」

「嗯──你也知道，總會有幾本淫穢讀物私下在流傳，有些時候，僅僅出於好奇──真噁心，我不騙你。」

「是嗎？」

她突然又精神振奮地說：「可是地球不同，上面有那麼多人。你們走在街上，以利亞，我猜你們會碰──碰觸到別人。我的意思是，一個不小心。」

貝萊露出似笑非笑的表情。「一個不小心，你還會把人撞倒呢。」他想到了捷運帶上那些跳上跳下、你拉我推的青少年，不免竄出一股濃濃的鄉愁。

嘉蒂雅說：「你不必站得那麼遠。」

「我靠近些你受得了嗎？」

「我想還好吧。如果我希望你停下來，會跟你直說的。」

貝萊一步步向她接近，嘉蒂雅一直瞪大眼睛望著他。

她忽然冒出一句：「你想不想看看我的力場彩繪？」

這時貝萊站在六英尺外。他停下腳步打量對方，她看起來既嬌小又柔弱。他試著想像她手中握著一樣東西（到底是什麼？）朝她丈夫的頭顱猛力揮去。他試著想像她在盛怒之下喪失了理智，因而成了殺人兇手。

他必須承認，這是有可能的。只要有合用的武器，並且足夠惱羞成怒，就算她只有一百零五磅，仍然能夠令受害者腦袋開花。貝萊知道有些女殺人犯（當然是在地球上），當她們靜下來的時候，簡直就是小白兔。

他問：「力場彩繪是什麼，嘉蒂雅？」

「一種藝術品。」她答道。

貝萊想起李比曾經提到嘉蒂雅的藝術創作，連忙點了點頭。「我很想開開眼界。」

「那就跟我來吧。」

貝萊謹慎地和她維持著六英尺的距離。這要比克蘿麗莎所要求的距離短得多，還不到三分之一。

他們走進一間亮晃晃的房間，每個角落都映出五顏六色的光芒。

嘉蒂雅顯得很得意。她抬頭望著貝萊，眼神中充滿期待。

雖然貝萊並未開口，他的反應顯然完全符合她的期待。他慢慢轉身，試圖弄清楚自己到底在看些什麼，因為這裡除了光線還是光線，根本沒有任何有形的實體。

一個個環形底座上擺放著一團又一團的光芒。它們彷彿活生生的幾何形體，由無數的彩色線條編織而成，雖然互繞成一個完整的造型，各自仍維持著獨立性。每件作品各有特色，甚至彼此沒有絲毫相似之處。

貝萊為了適當的字眼而搜索枯腸，最後說：「這些作品有什麼意涵嗎？」

嘉蒂雅發出悅耳的低沉笑聲。「你喜歡它們有什麼意涵都行。它們只是一團團會讓你感到憤怒、快樂或好奇的光線，總之會把我在創作時的情緒傳達給你。我可以替你做一個，就像為你畫像一樣。不過或許不會做得太好，因為只是即興創作而已。」

「你願意嗎？我非常感興趣。」

「沒問題。」她快步走向房間的一角，在經過他身邊時，和他相距僅僅數英寸，但她似乎並未注意到。

她來到某個光雕旁，碰了碰它的底座，那個傑作立刻消失無蹤。

貝萊倒抽一口氣，叫道：「別那麼做。」

「沒關係，反正這個我已經看膩了。我還要把其他作品暫時調暗，以免令我分神。」她打開附在牆上的控電盤，調動了一個變阻器，那些五光十色便幾乎看不見了。

貝萊問：「沒有機器人替你做這種事嗎？我是指開關電路？」

「噓，噓。」她有點不耐煩，「我不讓機器人來這裡。這是我的天地。」她皺著眉頭望著他，「我對你不夠熟悉，這是個小麻煩。」

她並未望著那個底座，但她的雙手輕輕放在它的光滑表面上——十指通通彎著，彷彿蓄勢待發。

一根手指開始有了動作，在光滑的表面畫出半個圓弧。一道深黃色的光芒從底座鑽出來，斜斜地一路向上延伸。一旦那根指頭稍微向後退，深黃色便逐漸變淡了一點。

她打量了一下子。「我想它算完成了。一種沒有重量的力量。」

「耶和華啊。」貝萊說。

「你不高興了？」她舉起雙手，那道黃色光芒依舊豎立在原處。

「不，一點也不。但這是什麼呢？你是怎麼做出來的？」

「這可不容易解釋，」嘉蒂雅若有所思地望著那個底座，「因為我自己也不算真正瞭解。有人告訴我，這是一種光學幻象，實質上是用各種能階所建立的力場。它們來自超空間，真的，因此欠缺普通空間應有的性質。不同的能階，會讓人眼看到不同的色澤。這些色澤和色彩全由我的指尖溫度控制，我只要輕觸底座的適當位置即可。在每個底座裡頭，都藏著各式各樣的控制器。」

「你的意思是，如果我把手指放到那裡……」貝萊走過去，嘉蒂雅隨即讓位給他。他試探性地把食指放到底座上，感到了輕微的震動。

「試試看，動動你的手指，以利亞。」嘉蒂雅說。

貝萊依言照做，底座便冒出一團暗灰色的光芒，把那道黃光給擠歪了。貝萊連忙抽回手指，嘉蒂雅被逗得哈哈大笑，但立刻表示了悔意。

「我不該笑你的。」她說：「真的非常不簡單，就算你練了很久也一樣。」她伸出手來輕輕一拂，速度快到貝萊根本看不清楚，下一刻，他做出的那個怪東西就不見了，只剩下黃光繼續一枝獨秀。

「這手藝你是怎麼學來的？」貝萊問。

「我只是自己不斷嘗試。這是一種新的藝術，你知道吧，只有一兩個人真正精通……」

「而你是最棒的。」貝萊沒好氣地說：「在索拉利，人人都能聲稱自己最棒，或是獨一無二。」

「你不必嘲笑我。我的作品曾經公開展出，我還親自做過示範。」她揚起下巴，她的驕傲是無庸置疑的。

她繼續說：「讓我把你的光雕做完吧。」她的手指又動了起來。

在她的操弄下，又有幾條彎彎曲曲的光線竄出來，每一條都有著尖銳的角度，而且皆以藍色為主要色調。

「這算是地球吧。」嘉蒂雅咬了咬下唇，「我總是把地球想成藍色，上面擠滿了人，時時刻刻面對面，面對面。顯像則比較接近玫瑰色。這是我的看法，你說呢？」

「耶和華啊，我無法把任何事物想成顏色。」

「無法？」她心不在焉地問，「例如你常說的『耶和華啊』，就像是一小塊紫色。而且帶個尖角，因為通常你都是脫口而出，像射箭一樣。」一小塊紫光冒了出來，很接近底座的正中心。

「然後，」她說：「再加上這個，便大功告成了。」這時憑空出現一個既單調又毫無光澤的藍灰色空心立方體，將整個作品團團圍住。裡面的光線仍舊透得出來，只是暗了不少，像是遭到了囚禁。

貝萊感到一陣難過，彷彿他自己被關了起來，無法隨心所欲做自己想做的事。「最後這個是什麼？」他問。

嘉蒂雅說：「就是你的圍牆啊。這是你內心最深的感受，你走不出去，你必須待在裡面。你被關在這裡頭，難道你看不出來嗎？」

貝萊又看了幾眼，但就是不敢苟同。他說：「那些圍牆不會一直關著我，我今天就出來了。」

「是嗎？你很自在嗎？」

他忍不住發動反擊。「和你見我的情形差不多。你雖然不喜歡，但還能夠忍受。」

她若有所思地望著他。「你現在想不想出去？跟我一起？去散散步？」

貝萊的直覺反應是：耶和華啊，不要。

她又說：「我從來沒有跟別人散過步，我是指面對面。現在還是白天，而且天氣不錯。」

貝萊望了望以自己為主題的抽象派光雕，然後說：「如果我去，你會把那團灰色拿掉嗎？」

她笑了笑，答道：「我先看看你表現如何。」

在他們離去後，那座光雕仍舊留在原處。它用代表大城的灰色光芒，將貝萊的靈魂牢牢禁錮住。

貝萊有點發抖。一陣微風吹過，令他感到一絲寒意。

嘉蒂雅問：「你冷嗎？」

「之前溫度沒這麼低。」貝萊咕噥道。

「那是因為天色已晚，但這種溫度還不能算冷。你想不想穿外套？我可以叫機器人馬上送過來。」

「不，沒關係。」他們沿著狹窄的人工小徑向前走，他忽然問道：「當初你和李比博士就是在這裡散步嗎？」

「喔不。我們在田野間到處亂逛，不時能聽見動物的聲音，卻很少見到幹活的機器人。不過為了以防萬一，這回你我只能在房子附近走走。」

「萬一什麼？」

「嗯，萬一你想進屋去。」

「或是萬一你受不了面對面了？」

「我真的無所謂。」她不在乎地說。

放眼望去，四面八方全是黃色和綠色的組合。頭上的樹葉隱約傳來陣陣的沙沙聲，周遭不時響起尖銳的鳥叫和刺耳的蟲鳴，地面上則有一團團的黑影。

他特別注意的是那些黑影。其中一個就在他面前，形狀像一個人，而且動作和他自己出奇相似，令人感到毛骨悚然。貝萊當然聽說過所謂的影子，也知道那是怎麼回事，但由於大城裡到處都是間接的照明，他始終未曾特別注意影子的存在。

他知道索拉利的太陽就在背後。雖然他提醒自己千萬別回頭，但他心知肚明，它就在那裡。

太空很大，而且很寂寞，他卻發覺自己深受它的吸引。他心中浮現一個畫面，自己走在一顆行星的地表，頭上有好幾千英里，不，好幾千光年的空間。

這個孤獨寂寞的畫面，為何對他有那麼大的吸引力？他並不想與孤獨寂寞為伴，他想要的是地球，是那些擠滿了人的大城，他渴望那種溫暖和熱鬧。

偏偏這個畫面就是不出現。他試著在心中召喚紐約，召喚其中的嘈雜、擁擠和紛擾，不久他便發現，目前自己所能想到的，就只有這個寧靜且帶有涼意的索拉利星表面。

在有意無意之間，貝萊逐漸向嘉蒂雅走近，直到兩人相距只有兩英尺的時候，他才發覺她露出驚嚇的表情。

「很抱歉。」他立刻邊說邊後退。

她喘著氣說：「沒關係。你想不想往那邊走？那裡有些花圃，或許你會喜歡。」

她所指的那個方向和太陽剛好相反。貝萊默默跟著她向前走去。

嘉蒂雅說：「再過幾個月，一切就會很有趣了。每到溫暖的季節，我就能跳進湖裡游泳，或是在田野間盡情奔跑，跑到再也不想跑的時候，我便會一頭倒在地上，一動不動地躺著。」

她低頭審視自己的穿著。「但今天並不適合這麼做。穿著這身衣服，我只能走路了。文文靜靜地，你知道吧。」

「你喜歡怎麼穿呢？」貝萊問。

「頂多穿個背心和短褲吧。」她一面喊，一面舉起雙臂，彷彿正在享受那種想像中的自由。「有時穿得更少，有時我只穿涼鞋，這麼一來，每寸肌膚都能感受到空氣——喔，抱歉，我冒犯你了。」

貝萊說：「沒有，沒關係。你和李比博士散步時，就是這麼穿的嗎？」

「不一定，要看天氣。有時我穿得非常少，但那只是顯像，你知道吧。我希望你真的瞭解。」

「我瞭解。不過李比博士呢？他也穿得很少嗎？」

「約珊穿得很少？」一抹笑容掠過她的臉龐，「喔不，他總是非常莊重。」嘉蒂雅硬擠出一個嚴肅的表情，還瞇著一隻眼睛，把李比的特徵模仿得維妙維肖，令貝萊忍不住低聲叫好。

「他是這麼講話的，」她說：「親愛的嘉蒂雅，考慮到一階電位對正子流所造成的效應……」

「他真的和你說這些嗎？機器人學？」

「大多都是。喔，你知道嗎，他可認真呢。他總是想試著教我機器人學，從未放棄過。」

「你學到什麼嗎？」

「什麼也沒學到，半點都沒有。那些話聽起來完全不知所云。他難免會生我的氣，不過每當他罵我，如果我們剛好在湖邊，我就會跳到水裡，用水潑他。」

「用水潑他？我以為你們是在顯像。」

她哈哈大笑。「你真是個地球人。他當然是在自己房裡，或是他自己的屬地。我潑的水碰不到他，但他照樣會閃躲──你看那裡。」

貝萊放眼望去。他們剛繞過一片茂密的樹林，這時已經來到一塊空地。一條條小紅磚道從中穿過，將它切成好幾部分，空地正中央還有個裝飾用的池塘。這裡盛開著無數花朵，排列得井然有序。貝萊在膠捲書中看過照片，因此知道它們就是所謂的花。

那些花和嘉蒂雅製作的光雕可說有些神似，貝萊因而猜想，這個花圃就是她的靈感來源吧。他小心謹慎地摸摸其中一朵，然後四下望了望，發覺紅花和黃花佔了絕大多數。

而在四下張望之際，貝萊瞥見了天際的太陽。

他不安地說：「太陽垂得很低。」

「因為快傍晚了。」嘉蒂雅背對著他叫道。她已經跑到了池塘邊，坐在一張石頭打造的長椅上。「過來，」她一面揮手一面喊，「如果你不喜歡坐在石頭上，站著也無妨。」

貝萊慢慢向前走去。「它每天都會這麼低嗎？」問完這句話，他立刻後悔了。只要行星不斷旋轉，太陽就只有中午才會高懸天頂，上下午一定會比較接近地平線。

他雖然能告訴自己這個事實，卻不能改變心中長久以來的既定想法。他知道所謂的夜晚是怎麼回事，甚至親身經歷過；在這段時間中，整個行星都會安穩地替你擋在太陽前面。他也知道到了白天，仍會有一片片的雲朵扮演保護傘的角色。話說回來，每當他想到行星表面，心中總會浮現一幅太陽高掛天際、放出灼熱光芒的畫面。

他回頭很快望了一下，快到僅瞥見太陽一眼，然後他開始尋思：如果自己決定回房去，距離會不會太遠了。

嘉蒂雅指了指石椅的另一端。

貝萊說：「和你的位子很近，不是嗎？」

她將那雙小手一攤。「我已經漸漸習慣了，真的。」

於是他坐下來，面對著她以免看到太陽。

她忽然上身向後仰，從水裡拉出一朵杯狀的小花——外面是黃色，裡面有著白色條紋，絲毫談不上豔麗。她說：「這是個土生土長的植物。這裡大多數的花，其實都是從地球引進的。」

她小心翼翼地將花遞給他，花柄的斷處仍在滴水。

貝萊同樣小心翼翼地伸出手來。「你把它殺死了。」他說。

「只是一朵花罷了，這兒有好幾千朵呢。」不料他尚未碰到那朵小黃花，她便突然抽回手去，而且雙眼射出異彩。「還是你想要暗示，既然我能殺死一朵花，也就能夠殺人。」

貝萊好言好語勸道：「我什麼也沒有暗示。能否讓我看看？」

貝萊其實並不想碰那玩意兒。它原本生長在潮濕的泥土中，現在還散發著一股污泥味。這些索拉利人，他們採取那麼謹慎的態度，盡量避免接觸地球人，甚至避免彼此接觸，怎麼會如此隨便地碰觸髒泥巴呢？

貝萊將花柄握在拇指和食指之間，仔細端詳了一番。這朵花由好幾片薄薄的組織所組成，它們源自一個共同中心，然後逐漸向上彎。「杯子」裡則有一個白色的突起，外表看起來很濕潤，邊緣則有些像是黑絲線的東西，正在風中輕微抖動。

她問：「你聞得到它的味道嗎？」

貝萊立刻注意到它所散發的香氣。他將鼻子湊過去，然後說：「聞起來像是女人身上的香水。」

嘉蒂雅用力一拍手，顯得相當開心。「果真是不折不扣的地球人。你真正的意思應該是香水聞起來很像這朵花。」

貝萊懊喪地點了點頭。他對戶外逐漸厭煩了，所有的影子都越來越長，景色則越來越陰暗。可是他堅決不肯示弱。他想要除去圍住自己那尊雕像的灰色光牆。雖說有點不自量力，但他別無選擇。

嘉蒂雅作勢要從他手中取走那朵花，貝萊欣然放手。她一面慢慢扯去花瓣，一面說：「我想，每個女人的味道都不一樣。」

「端看她用什麼樣的香水。」貝萊漫不經心地答道。

「想想看，靠近到足以分辨香水的距離。我不擦香水，因為沒有人靠近我。現在是例外。但我想你常常聞得到香水，甚至天天聞到吧。在地球上，你的妻子總是在你身邊，對不對？」她將注意力完全放在那朵花上，皺著眉頭仔仔細細地一瓣瓣將它肢解。

「她並非總是在我身邊，」貝萊說：「並非分秒形影不離。」

「但大多時候都在。無論何時你想要……」

貝萊突然打岔道：「李比博士為何那麼想要教你機器人學，你猜是什麼原因？」

那朵花現在只剩花柄和裡面那團突起了。嘉蒂雅用手指夾著它轉來轉去，然後隨手丟進池塘，但它並未立刻沉下去。「我想，他希望我當他的助理。」她說。

「他跟你這麼說過嗎，嘉蒂雅？」

「最後才說的，以利亞。我想他是不耐煩了。總之他曾問我，難道不覺得機器人學是個有趣的領域嗎？我自然照實回答，說自己再也想不到有什麼比機器人學更無趣的了。結果他相當生氣。」

「後來，他就再也沒有跟你一起散步了？」

她說：「你知道嗎，我想你說得很對。想必我傷了他的心。問題是，我又能怎麼做呢？」

「不過，在此之前，你已經把你和德拉瑪博士爭吵的事告訴他了。」

她的雙手彷彿抽筋般牢牢攥緊，她整個人則僵立在原處，頭垂了下來，微微偏向一側。「什麼爭吵？」她的聲音高得很不自然。

「你和你丈夫的爭吵。我曉得你恨他。」

她惡狠狠地瞪著他。「誰告訴你的？約珊？」她的臉孔不但扭曲，而且一陣紅一陣青。

「李比博士提到過，我想這是真的。」

她渾身發抖。「你還是在試圖證明我是兇手。我一直把你當成朋友，沒想到你只是──只是個警探。」

她舉起拳頭，貝萊一動不動。

他說：「你知道你不能碰我。」

她終於放下拳頭，別過臉去，開始飲泣。

貝萊則低下頭，閉上雙眼，把那些惱人的長影關在眼皮外面。「德拉瑪博士並不是個感情非常豐富的人，對吧？」他說。

她像是掐著脖子回應道：「他是個工作非常忙碌的人。」

貝萊說：「反之，你的感情非常豐富。你對男人感興趣，你自己瞭解嗎？」

「我情——情不自禁，我知道這很噁心，但我情不自禁。這種事光……光是說說就很噁心。」

「不過，你的確跟李比博士說過吧？」

「我必須找人說說，找約珊自然最方便，而且他似乎並不介意，說出來我就覺得好多了。」

「這就是你和你丈夫爭吵的原因嗎？因為他感情不夠豐富，對你冷冰冰的，所以你心生怨恨？」

「有時我真恨他。」她無奈地聳了聳肩，「他只是個優秀的公民罷了，我們甚至沒有打算生……生……」她說不下去了。

貝萊耐心等待。他覺得滿肚子寒氣，而且戶外的壓力重重壓在他身上。等到嘉蒂雅的抽噎逐漸平息，他盡可能柔聲問道：「是你殺了他嗎，嘉蒂雅？」

「不——是。」然後，突然間，彷彿她的心防通通融化了。「我還有些事沒告訴你。」

「好，那現在請說。」

「當時我們正在爭吵，我是說他死的時候。那種爭吵千篇一律，我對他大叫大嚷，他卻從來不回嘴。他甚至幾乎不說一句話，那只會讓氣氛更僵。我好生氣，非常生氣。然後我就什麼都不記得了。」

「耶和華啊！」貝萊輕晃了一下，他瞪大眼睛，目光鎖定長椅上的灰石板。「你說什麼都不記得是什麼意思？」

「我的意思是，他就這麼死了，我拚命尖叫，馬上進來幾個機器人……」

「是你殺了他嗎？」

「我不記得了，以利亞。如果是我做的，我應該會記得，對不對？問題是我也記不得到底發生了什麼事，我好害怕，非常害怕。幫幫我，拜託，以利亞。」

「別擔心，嘉蒂雅，我會幫你的。」貝萊設法把紛擾的思緒鎖定在兇器上。它到哪裡去了呢？一定被人拿走了。如果真是這樣，就只有兇手做得到這件事。既然案發之後，立刻有機器人在現場看到嘉蒂雅，她就不可能拿走兇器。兇手一定是別人，不論索拉利人全都怎麼看這件案子，兇手一定是別人。

貝萊覺得一陣暈眩，心想：我得趕緊回屋去。

他說：「嘉蒂雅──」

不知怎麼回事，他開始凝視地平線附近的太陽。他必須轉頭才看得見，而他彷彿著了魔，居然看得目不轉睛。他從未見過這樣的太陽，又大又紅，但有點黯淡，盯著看也不至於刺眼。他看到好些細長的雲朵飄在太陽上方，還有一條壓在它身上，活像一根黑色的棍子。

貝萊喃喃道：「太陽看起來好紅。」

他聽到嘉蒂雅無精打采地悶聲道：「落日總是紅的，一副即將熄滅的樣子。」

貝萊心中浮現一個畫面。太陽之所以落到地平線上，其實是由於行星表面以一千英里的時速在不斷後退；索拉利星就這麼在裸陽下旋轉，完全無顧於表面上有好些稱為人類的微生物，它瘋狂地不停旋轉，旋轉……旋轉……

他的腦袋也開始旋轉了，下方的長椅逐漸傾斜，上方的天空也起了變化，藍色，深藍色，而太陽已消失無蹤。他看到樹梢和地面同時跳起來，聽到嘉蒂雅隱約發出尖叫，接著又聽到一聲……

第十六章　解釋

貝萊首先察覺到這是個封閉空間，戶外景色全都不見了，然後才看到一張臉孔正在俯視自己。

他定睛望去，並未立刻認出那是誰。一會兒之後，他叫道：「丹尼爾！」

聽到這聲叫喚，機器人臉上並未顯露出意味著寬心或任何其他情緒的表情，他只是說：「你能恢復意識就沒問題了，以利亞夥伴。我認為你並未受到任何外傷。」

「我很好。」貝萊不耐煩地應道，同時吃力地用手肘把自己撐起來。「耶和華啊，我在床上嗎？這是幹什麼？」

「今天你數度暴露在開放空間中，身體已經承受不了，需要好好休息。」

「不，我需要先問幾個問題。」貝萊四下張望了一番，雖然有點暈眩，他卻試圖在心中否認這個事實。這個房間看起來很陌生，但窗簾通通拉了下來，而所有的光線都是人工照明，讓他覺得舒服多了。「比方說，我在哪裡？」

「在德拉瑪夫人宅邸的一個房間裡。」

「下一個問題，讓我們把話講清楚。你在這裡做什麼？我明明命令幾個機器人看住你，你是怎麼逃脫的？」

丹尼爾說：「我早已猜到這樣的發展會令你不高興，但為了能讓我執行命令，更為了保護你的安全，我覺得沒有選擇……」

「你究竟做了什麼？耶和華啊！」

「幾小時前，德拉瑪夫人似乎在試著找你。」

「沒錯。」貝萊想起嘉蒂雅曾經提過這件事，「這我知道。」

「當初你命令那些機器人把我當囚犯看管，你是這麼說的：『不准它——你是指我——和其他人聯絡，不准它和其他機器人說話，無論面對面或顯像都不行。』然而，以利亞夥伴，你完全沒提到不准其他人或機器人和我聯絡。你看出其中的差異了嗎？」

貝萊呻吟了一聲。

丹尼爾又說：「不必難過，以利亞夥伴。這道命令中的瑕疵可說救了你一命，因為它讓我及時趕了過來。你知道嗎，當德拉瑪夫人以顯像聯絡我時，看管我的機器人並未阻止她，因此我們說上話了。她開口就問你在哪裡，而我相當誠實地答道，我對你的行蹤並不清楚，但我能試著幫她找一找。看來她似乎急於要我幫忙。我說，我想你可能暫時離開我們的宅邸了，我會先確認這件事，與此同時，她最好能命令我身邊的機器人在宅邸裡也找找看。」

「難道她不覺得奇怪，你為何不自己下命令？」

「我想我給了她一個印象：我是奧羅拉人，對機器人並不像她那麼熟悉，因此她下的命令會更有權威性，會讓機器人更快完成任務。眾所周知，索拉利人對於他們操縱機器人的技巧一向很自負，而且一向瞧不起其他太空族對機器人的掌控能力。你難道不這麼認為嗎，以利亞夥伴？」

「於是，她就把它們支走了？」

「沒有那麼簡單。它們堅決奉行原來的命令，可是當然說不清楚是怎麼回事，因為你曾命令它們絕對不可以洩露我的真實身份。最後她還是收服了它們，只不過她是在盛怒之中吼出那些命令的。」

「然後你就離開了。」

「是的，以利亞夥伴。」

貝萊心想，真可惜，嘉蒂雅並不認為這段插曲有多麼重要，所以並未在顯像時告訴自己。他說：「你花了很長時間才找到我，丹尼爾。」

「索拉利機器人共享一個透過次乙太傳遞的訊息網，一個熟練的索拉利人隨時能夠從中取得訊息。可是，由於這些訊息得透過幾百萬個機器人傳遞，換成像我這樣欠缺經驗的人，便注定得花些時間才能找到有用的資料。過了一個多小時，我才終於獲悉你的下落。然後我又花了一些時間，在你之後造訪了德拉瑪博士的工作場所。」

「你去那裡做什麼？」

「進行我自己的調查。很抱歉我不得不擅自這麼做，可是情況緊急，我也就別無選擇了。」

貝萊問：「你有沒有以顯像或當面見到克蘿麗莎．康特羅？」

「我以顯像見過她，不過並非從我們的屬地，而是從她那裡的另一個房間。那所育場有些重要記錄，我必須查一查。在一般情況下，透過顯像就足夠了，但我恐怕不宜繼續待在我們的屬地，因為那三個機器人知道我的真實身份，很可能會再把我拘禁起來。」

貝萊覺得幾乎恢復了。他跳下床來，發現自己穿著一件像是睡袍的衣服，不禁露出嫌惡的表情。「把我的衣服拿來。」

丹尼爾立刻遵命。

貝萊一面穿衣服，一面問：「德拉瑪夫人在哪裡？」

「她遭到軟禁了，以利亞夥伴。」

「什麼？誰下的命令？」

「我下的命令。她被軟禁在自己的臥室，由機器人看管，只能下達和個人需求相關的命令，其餘命令一律無效。」

「你自己下令？」

「這塊屬地上的機器人並不曉得我的真實身份。」

貝萊穿好了衣服。「我知道嘉蒂雅涉嫌重大。」他說：「她的確有行兇的機會，事實上，她掌握的機會超過我們原先的想像。她並非聽到丈夫的叫喊才趕到現場的，之前她並未吐露實情，其實她一直都在那裡。」

「她是否聲稱目睹了行兇經過，或看到了兇手？」

「沒有。她對那個關鍵時刻毫無記憶，這倒是常有的事。此外，我還查到了她也有動機。」

「什麼動機，以利亞夥伴？」

「一個打從一開始我就在懷疑的動機。我曾告訴自己，如果這裡是地球，又如果德拉瑪博士正如他人所說的那樣，而嘉蒂雅．德拉瑪則是個表裡如一的女子，那麼我會說她的確愛他，至少曾經愛過，偏偏他卻只愛自己。問題是，索拉利人對愛情的感受和反應到底和地球人相不相同，那就很難說了。對於他們的情感和反應，我認為自己還抓不準。正是由於這個緣故，我必須見見他們。不是以顯像，而是面對面。」

「我聽不懂了，以利亞夥伴。」

「我也不知道能否對你解釋清楚。這些索拉利人早在出生之前，就對他們的基因做好詳細規劃，而在出生後，還經常接受基因分析。」

「這我知道。」

「但基因無法代表一切，環境也是一項重要因素。基因只能指出某種精神疾病的可能性，環境卻能讓人真正發病。你有沒有注意到嘉蒂雅對地球很感興趣？」

「我還提到過呢，以利亞夥伴，我說那是她為了影響你的判斷，故意裝出來的。」

「假設她真感興趣，甚至十分著迷；假設地球人的某項特質令她感到興奮；假設吸引她的東西被她視為骯髒下流，她卻不由自主受到吸引。這就可能是一種異常心態。為了證實我的猜測，我必須和一些索拉利人碰面，看看他們有何反應，此外我還得和她本人碰面，以便看看她有何反應。正因為如此，我必須不計任何代價擺脫你，丹尼爾；也正因為如此，我必須捨棄以顯像當調查工具。」

「你並未這麼解釋過，以利亞夥伴。」

「這樣的解釋，會減輕第一法則要求你擔負的責任嗎？」

丹尼爾沉默不語。

貝萊繼續說：「這個實驗奏效了。我試著造訪幾個索拉利人，也幾乎都見到了。一位年邁的社會學家試著接見我，但半途便知難而退。一位機器人學家拒絕接見我，無論我怎麼威脅都沒用。光是想到這個可能性，就嚇得他幾乎退化成嬰兒，一面吸手指一面掉眼淚。德拉瑪博士的助理由於職業上的訓練，還算習慣和人面對面，所以她能當面見我，但始終保持二十英尺的距離。另一方面，嘉蒂雅……」

「她怎樣，以利亞夥伴？」

「嘉蒂雅只猶豫了一下子，就答應見我了。她很容易就適應了和我面對面，而且不難看出，她的緊張情緒一直在減輕之中。這完全符合精神疾病的界定。她不介意和我見面，她對地球深感興趣，她對自己的丈夫也可能表現出異常的興趣。這通通可以歸納成一個強烈的慾望，而且是索拉利人眼中病態的慾望，那就是渴望異性出現在自己面前。德拉瑪博士自己並不是這種人，所以無法配合她，更不可能產生共鳴。這一定令她非常沮喪。」

丹尼爾點了點頭。「沮喪到了足以因為一時氣憤而痛下殺手。」

「即便如此，我仍不這麼想，丹尼爾。」

「或許是你自己被自己的動機給影響了，以利亞夥伴？德拉瑪夫人是個迷人的女子，對你這個地球人而言，喜歡面對迷人的女子絕對不算病態。」

「我有更好的理由。」貝萊顯得不太自在（丹尼爾的冷酷目光簡直能把他的靈魂看穿。耶和華啊！這傢伙只是個機器罷了），他繼續說下去：「如果她真是殺夫的兇手，那麼她一定也曾試圖謀殺葛魯爾。」他差點忍不住要解釋如何用兩個機器人來進行謀殺，最後壓下了這個衝動。如果讓丹尼爾聽到這個理論——機器人能在不知情的情況下成為兇手——很難想像他會有什麼反應。

丹尼爾說：「除此之外，她還試圖殺害你。」

貝萊皺起眉頭。他從未打算告訴丹尼爾自己險些被毒箭射中；丹尼爾對他的安危已有過度的顧慮，犯不著再火上加油了。

他氣呼呼地說：「克蘿麗莎到底跟你講了什麼？」他該叮囑她什麼也別提，話說回來，他又怎麼知道丹尼爾會查案查到那裡去？

丹尼爾心平氣和地說：「康特羅夫人和這件事毫無關係，這樁罪行是我親眼目睹的。」

貝萊完全糊塗了。「當時你並不在場啊。」

丹尼爾說：「一小時前，是我親手接住你，把你抱來這裡的。」

「你到底在說些什麼？」

「你不記得了嗎，以利亞夥伴？那幾乎是個完美的謀殺計畫。德拉瑪夫人有沒有建議你到戶外走走？我並未目睹這一幕，但我敢說是她提議的。」

「對，的確是她提議的。」

「為了讓你走出去，她甚至可能對你做了些暗示。」

貝萊立刻想到自己那尊「雕像」，以及一重重的灰色圍牆。那是一種高明的心理戰術嗎？身為索拉利人，她能光憑直覺就對地球人的心理那麼瞭解嗎？

「沒有。」他答道。

丹尼爾說：「後來，是不是她提議走到池塘邊，坐在長椅上？」

「這倒沒錯。」

「她可能一直在從旁觀察你，注意到你的暈眩越來越嚴重，這點你從未想到嗎？」

「她曾問我要不要回去，問過一兩次。」

「她或許只是做做樣子。她或許巴不得坐在長椅上的你越來越不舒服。她甚至有可能推了你一把，但也可能根本沒這個必要。當我及時趕到、伸手接住你的那一刻，你正從長椅上往後倒，眼看就要落入三英尺深的池塘，萬一真掉進去，你一定會淹死的。」

貝萊首度憶起昏倒前那一瞬間的感覺。「耶和華啊！」

「更何況，」丹尼爾毫不放鬆地繼續說：「德拉瑪夫人當時就坐在你旁邊，卻眼睜睜看著你倒下去，完全沒有想要拉住你。她也不會試圖把你從水裡撈出來，她會讓你活活淹死。她或許會呼叫機器人，但機器人一定無法及時抵達現場。事後她只需要解釋說，自己當然不可能伸手碰觸你，即便是為了救你的命。」

很有道理，貝萊心想。誰也不會質疑她為何不敢碰觸另一個人。萬一有人感到訝異，也只是針對她怎敢和自己坐得那麼近這一點。

丹尼爾說：「所以你瞧，以利亞夥伴，她的罪嫌幾乎沒有質疑的餘地了。你剛才說，如果她就是真兇，她一定也曾試圖謀殺葛魯爾局長，彷彿這個說法能夠替她脫罪。現在你總該明白，一定是她幹的。她謀害你和謀害葛魯爾乃是出於相同的動機，那就是為了擺脫你們對第一樁命案的苦苦糾纏。」

貝萊說：「剛才發生的事，可能只是一連串巧合。她可能根本不瞭解戶外環境對我會有什麼影響。」

「她研究過地球，她知道地球人的怪癖。」

「我曾向她誇口，今天我一直在戶外，已經逐漸習慣了。」

「她或許瞭解這並非實情。」

貝萊一拳打在自己的手掌上。「你把她說得太聰明了。這與事實不符，我不想採信。無論如何，除非你能說明兇器是如何失蹤的，否則我絕不會指控她是兇手。」

丹尼爾目不轉睛地望著這個地球人。「這件事我也能解釋，以利亞夥伴。」

貝萊望著這個機器人夥伴，臉上露出難以置信的表情。「怎麼解釋？」

「你應該記得，以利亞夥伴，你是這麼推論的：假使德拉瑪夫人就是兇手，那麼不論兇器是什麼東西，它一定還留在兇案現場。可是，那些幾乎立刻趕到的機器人並未發現任何兇器，因此它一定被拿走了，因此一定是兇手拿走的，因此德拉瑪夫人不可能是兇手。我所說的都正確嗎？」

「都正確。」

「然而，」機器人繼續說：「那些機器人卻漏找了一個地方。」

「哪裡？」

「德拉瑪夫人身體下面。不論她是不是兇手，當時她受到了很大的刺激，因而昏倒在地，而不論兇器到底是什麼，一定壓在她身體下面，以至於誰也看不到。」

貝萊說：「那麼一旦她被抬走，兇器立刻會被發現了。」

「完全正確，」丹尼爾說：「但她並未被機器人抬走。昨天晚餐時，她親口告訴我們，那些機器人遵循索爾醫生的命令，在她頭下放了一個枕頭，然後就離開了。直到亞丁．索爾醫生趕到現場，準備替她檢查的時候，才親自把她抬起來。」

「所以呢？」

「所以，以利亞夥伴，出現了一個新的可能性。德拉瑪夫人就是兇手，而兇器就留在現場，可是索爾醫生為了保護德拉瑪夫人，把它偷偷帶走，並且處理掉了。」

貝萊覺得大失所望。他原本以為對方真能提出什麼合理的推論。「動機付之闕如。索爾醫生為什麼要做這種事？」他說。

「為了一個非常好的理由。你該記得德拉瑪夫人曾經這麼說：『打從我還是小女孩，他就一直替我看病，而且一向都很友善很親切。』這令我不禁懷疑，他是不是有什麼動機，才會對她另眼相看。由於這個緣故，我造訪了那所育場，檢視其中的記錄。結果，我的憑空猜測居然獲得了證實。」

「什麼？」

「亞丁．索爾醫生是嘉蒂雅．德拉瑪的父親，而且，他自己知道這層關係。」

貝萊並沒有想要懷疑這個機器人。他只是感到深深的懊惱：這個不可或缺的環節，竟然並非他自己，而是由機器人．丹尼爾．奧利瓦發現的。即便如此，邏輯分析仍不完整。

他問道：「你有沒有和索爾醫生談過？」

「談過，而且我把他也軟禁了。」

「他怎麼說？」

「他承認自己是德拉瑪夫人的父親。主要是因為我掌握了關鍵證據，不但有出生證明，還有他在她小時候詢問她健康狀況的記錄。在這方面，身為醫生的他要比其他索拉利人多了一點機會。」

「他為何要詢問她的健康狀況？」

「我也這麼問過自己，以利亞夥伴。當初獲得多生一個孩子的特許時，他已經上了年紀，但重要的是，他真的做到了。他將此舉視為自己基因優良而且身體健康的明證。他心中的驕傲或許超過了這個世界的常情。此外，由於他是個必須頻頻接觸他人的醫生，在索拉利沒什麼社會地位，因此這份驕傲對他就更有意義了。正因為這個緣故，他一直和他的女兒保持著低調的接觸。」

「嘉蒂雅知道這件事嗎？」

「據索爾醫生判斷，以利亞夥伴，她並不知道。」

貝萊又問：「索爾承認了兇器是他取走的？」

「沒有，這點他並未承認。」

「那你就是一無所獲，丹尼爾。」

「一無所獲？」

「你必須證明兇器是他取走的，或至少誘使他招認這件事，而且還得把兇器找到，才算是掌握了證據。環環相扣的推理雖然漂亮，但是並不等於證據。」

「想要他招認，必須使用非常的手段，這種事我自認無能為力。他十分珍愛這個女兒。」

「絕非如此。」貝萊說：「他對女兒的情感絕非你我所能揣測的。索拉利人與眾不同！」

他在房間裡來回走了一趟，好讓自己冷靜下來。然後他說：「丹尼爾，你的邏輯推理完美無缺，話說回來，卻沒有任何一環是合理的。」（講求邏輯但不講理，這不就是機器人的定義嗎？）

他繼續說下去：「姑且不論索爾醫生二、三十年前是否還能生兒育女，他現在絕對已經年老力衰。太空族也是會衰老的。你不妨設想一下，當天他抵達現場，發現他的女兒昏迷不醒，而他的女婿慘遭殺害。你能想像這對他是多大的打擊嗎？你還能假設他有辦法保持鎮定嗎？事實上，是必須鎮定到能做出一連串的驚人之舉。

「聽好！首先，他必須注意到他女兒身體下面壓著一樣東西，而且一定壓得很牢，所以機器人始終沒注意到。其次，他必須從蛛絲馬跡推論出那東西就是兇器，而且立刻想到，如果他能神不知鬼不覺把兇器帶走，他女兒的謀殺罪嫌就難以成立。對一個處於驚嚇狀態的老人而言，這可是相當精細的推理。此外還有第三點，他必須親自執行這個計畫，這對當時的他而言同樣是很困難的事情。最後一點，他還得有膽子堅不吐實，也就是再犯下一項偽證罪。這些或許都是合乎邏輯的推論，但沒有一項是合理的。」

丹尼爾說：「你對這件案子另有解釋嗎，以利亞夥伴？」

剛才發表長篇大論之際，貝萊坐了下來，現在由於太過疲倦，再加上椅子太深，他竟然站不起來了。「借你的手用用好嗎，丹尼爾？」他沒好氣地伸出手去。

丹尼爾望著自己的手。「請問你在說什麼，以利亞夥伴？」

貝萊在心裡罵了幾聲死腦筋，然後說：「拉我一把，幫我站起來。」

丹尼爾伸出強壯的手臂，毫不費力地將他拉起來。

貝萊說：「謝謝。不，我沒有其他的解釋。但至少，我看得出兇器的下落是整件事的關鍵。」

他踏著焦躁的步伐，走向一面幾乎全被窗簾遮住的牆壁，下意識地順手拉起厚重窗簾的一角。他盯著黑漆漆的玻璃好一陣子，才想明白所見到的其實是窗外的夜色。與此同時，丹尼爾已悄悄走近，一把將他手中的窗簾搶過去。

貝萊看著這機器人的作為，不禁聯想到母親阻止孩子玩火的畫面，就在這電光石火的一瞬間，他心中冒出一個叛逆的念頭。

他先是猛力一拉，從丹尼爾手中將窗簾搶回去。然後他利用全身的重量，硬生生把整片窗簾從牆上撕下來。

「以利亞夥伴！」丹尼爾輕聲說：「你該知道開放空間對你有什麼害處。」

「有什麼害處，」貝萊說：「我當然知道。」

他從窗戶望出去。除了一片黑暗，什麼也看不見，但所謂的黑暗無非就是戶外。即使毫無光亮，它仍是連綿不斷、毫無阻隔的空間，而自己現在正望著它。

這是他第一次隨興望著戶外。不再是為了逞強，或出於扭曲的好奇心，也不是為了尋找兇案的真相。他望著戶外是因為他想這麼做，是因為他需要這麼做。這其中有著天壤之別。

牆壁是一種保護傘！黑暗和人群也是保護傘！他在潛意識裡一定有這種認知。雖然他明白自己多麼珍愛、多麼需要這些保護傘，偏偏又恨之入骨。否則，他為何那麼痛恨嘉蒂雅所做的那個灰色牢籠？

他覺得心中充滿勝利感，而且這種情緒彷彿具有催化力量，下一瞬間，他心中像是發出一聲巨響，另一個想法隨之迸現。

貝萊暈乎乎地轉向丹尼爾。「我知道了，」他悄聲說：「耶和華啊！我知道了！」

「知道什麼，以利亞夥伴？」

「我知道兇器是怎麼失蹤的，我也知道是誰幹的。轉瞬之間，一切的一切都有解了。」

第十七章 會議

丹尼爾不贊成立即行動。

「明天！」他恭敬卻堅定地說：「採納我的建議，以利亞夥伴。時候不早了，你需要休息。」

貝萊必須承認此話有理，何況還有許多準備工作尚未完成。他已經揭開這樁兇案的謎底，這點他很肯定，但正如丹尼爾的理論一樣，他自己的答案也建立在推理上，證據力十分薄弱。因此，他需要索拉利人的幫助。

而如果他要面對他們——一個地球人面對五、六個太空族——他必須能掌控全局。這就意味著需要好好休息，好好準備。

但他睡不著，他確定自己睡不著。即使有靈巧的機器人替他在嘉蒂雅宅邸的客房準備了柔軟的床鋪，即使這個房間裡有著輕柔的香氣和更輕柔的音樂，他仍然肯定自己無法進入夢鄉。

丹尼爾默默坐在房間中一個陰暗的角落。

貝萊問：「你還在擔心嘉蒂雅嗎？」

機器人答道：「我認為最好有人一夜陪著你，保護你。」

「好，就依你。至於我希望你做些什麼，你都清楚了嗎，丹尼爾？」

「清楚了，以利亞夥伴。」

「希望第一法則不會令你有所保留。」

「關於你想召開的會議，我的確還有些保留。可否請你配備武器，隨時留心自己的安全？」

「我會的，我向你保證。」

丹尼爾發出一聲極為類似人類的感嘆，一時之間，貝萊發覺自己竟然試圖透視黑暗，以便審視對方那張完美的機器臉孔。

丹尼爾說：「在我看來，人類的行為有時並不合邏輯。」

「我們也需要自己的三大法則，」貝萊說：「但我很高興它們不存在。」

他凝視著天花板。自己還需要大力仰仗丹尼爾，卻只能對他透露真相的冰山一角。這件案子和機器人的關係太深了。奧羅拉星派出一個機器人當代表，他們這麼做自有道理，不過卻是錯誤的決定。機器人有其自身的局限。

話說回來，如果一切順利，那麼不出十二小時，一切就會結束了。他能夠在二十四小時內出發，帶著希望返回地球。一種怪異的希望——自己對它毫無信心，但它卻是地球的出路，它一定得是地球的出路。

地球！紐約！潔西與班！那親愛的、熟悉的、舒適安詳的家鄉！

在半睡半醒間，他把心思投射到地球，卻無法喚起他所期盼的舒適安詳。自己和那些大城似乎已經有了無形的距離。

不知道過了多久，一切都逐漸淡去，他也終於睡著了。

貝萊一覺醒來，沐浴更衣完畢，看來該準備的都準備好了，但他心裡仍然不踏實。並非因為在清晨的微曦中，他昨晚的推論似乎不再那麼有說服力，而是因為他即將面對那些索拉利人。他到底能不能掌握他們的反應？還是仍舊會在盲目中摸索？

第一位出現的是嘉蒂雅。她當然最方便，因為她就在這座宅邸裡，只要使用室內線路即可。她臉色蒼白，面無表情，身上那件白袍似乎將她裹成一座冰冷的雕像。

她無助地凝視著貝萊。貝萊回以一個溫柔的笑容，似乎讓她覺得自在了一點。

其餘人士也一一現身。緊接著出現的是瘦削而高傲的亞特比希，也就是安全局目前的代理局長，他把粗大的下巴拉得老長，一副不以為然的模樣。然後是機器人學家李比，他看起來既憤怒又不耐煩，那個不靈光的眼皮還不停地翻上翻下。社會學家奎摩特則帶著一點倦容，但他透過深陷的眼窩對貝萊投以帶著笑意的目光，彷彿在說：我們見過，我們很熟。

而克蘿麗莎．康特羅出現時，發現有那麼多人在場，似乎有些不自在。她看了嘉蒂雅幾眼，故意哼了一聲，然後便低下頭望著地板。索爾醫生則是最後現身的，他顯得很憔悴，幾乎像個病人。

除了葛魯爾，大家都到齊了。葛魯爾仍在慢慢復原中，沒力氣出席這樣的場合。（算了，貝萊想，沒有他也無妨。）他們個個穿著正式的服裝，各自的房間一律拉起了窗簾。

丹尼爾把一切安排得很好。貝萊萬分希望他會把其餘的工作也做得一樣好。

貝萊逐一望向這些太空族，心跳不禁開始加速。每個人的顯像都來自不同的房間，五花八門的光線、家具和壁飾看得他眼花撩亂。

貝萊開口道：「我打算從三個方面來討論瑞坎恩．德拉瑪博士的謀殺案，依序是動機、機會和方法……」

亞特比希突然打岔：「你要發表長篇大論嗎？」

貝萊厲聲答道：「或許會。我是被請來調查這樁謀殺案的，這種工作正是我的專長和專業。我最瞭解該如何進行。」（別受他們任何影響，他想，否則就會白忙一場。控制住局面！控制住！）

他盡可能使用最尖銳的言語說下去：「首先談動機。就某方面而言，三者之中最難取得共識的就是動機了。機會和方法是客觀的，可以實事求是地進行調查。動機則是主觀的，有時能被他人觀察到，例如某人遭到羞辱而心生怨恨。但有些動機表面上完全看不出來，一個律己甚嚴的人可能由於非理性的恨意而起殺機，他卻始終隱藏得很好。

「在此之前，你們幾乎都陸續告訴過我，你們相信嘉蒂雅．德拉瑪就是兇手。當然，誰也沒提到可能另有嫌犯。嘉蒂雅有動機嗎？李比博士提出過一個。他說嘉蒂雅經常和她丈夫吵架，後來嘉蒂雅也對我承認了這件事。不難想像，因爭吵而累積的怒火，的確可能使一個人成為兇手。很有道理。

「不過，她是不是唯一擁有動機的人呢？我對這個問題有所保留。李比博士自己……」

那位機器人學家幾乎跳了起來，他伸出一隻手，硬邦邦地指著貝萊。「你講話當心點，地球人。」

「我只是在討論可能性。」貝萊冷冷地答道，「你，李比博士，當時正和德拉瑪博士研究新型的機器人。在索拉利所有的機器人學家中，你是最優秀的一位。這是你告訴我的，我也相信此言不虛。」

李比毫不客氣地微微一笑。

貝萊繼續說道：「可是我聽說，德拉瑪博士由於不贊同你的某些作為，打算終止和你的合作關係。」

「亂講！亂講！」

「或許吧。但萬一是真的呢？你可能會為了避免羞辱，因而先下手為強，這不就是動機嗎？我有個感覺，面對這種公開拆夥的羞辱，你不是那種會忍氣吞聲的人。」

為了不讓李比逮到回嘴的機會，貝萊趕緊繼續說下去：「而你，康特羅夫人，德拉瑪博士一死，你就會繼任胎兒工程師，這可是一項要職。」

「老天啊，我還以為我們已經說清楚了。」克蘿麗莎惱怒地大叫。

「我知道我們說清楚了，但無論如何，還是要把這個可能考慮進去。至於奎摩特博士，他跟德拉瑪博士會定期較量棋藝，或許他輸了太多次，因而惱羞成怒。」

這位社會學家輕聲細語地插嘴道：「輸棋當然算不上什麼動機，便衣刑警。」

「那得看你把下棋這回事看得多麼重要。一名兇手心目中的天大動機，在別人看起來可能完全微不足道。嗯，別追究這些了。我要強調的是，單有動機絕對不夠。任何人都可能有動機，尤其是殺害德拉瑪博士這種人的動機。」

「你這話是什麼意思？」奎摩特怒沖沖地追問。

「很簡單，我是指德拉瑪博士是一位『優秀的索拉利公民』這回事，你們都這麼形容過他。他生前嚴格遵守索拉利所有的習俗；他是個完美的典型，幾乎不像真實人物。這樣的一個人，有誰會去愛他、甚至只是喜歡他呢？一個毫無瑕疵的人，只會讓別人意識到自己的缺陷。有個名叫丁尼生的遠古詩人曾這麼寫道：『沒有缺點便是他最大的缺點。』」

「誰也不會因為某人太好，而把他殺了。」克蘿麗莎皺著眉頭說。

「你太武斷了。」不過貝萊並未借題發揮，而是繼續說下去。「德拉瑪博士察覺到——或說自認察覺到索拉利上醞釀著一樁陰謀，那就是有人準備對其他世界發動攻擊，打算征服整個銀河。他很希望阻止這件事，或許那些陰謀份子因此覺得有必要除掉他。在座各位都有可能參與這樁陰謀，德拉瑪夫人自然有嫌疑，但是就連安全局的代理局長考文·亞特比希也不例外。」

「我？」亞特比希毫不動容地說。

「顯然你在接替葛魯爾之後，便想盡快終止我的調查行動。」

貝萊慢慢呷了幾口飲料，以便補充體力（他是直接從原封容器喝的，而在開封前，他沒有讓任何人或機器人碰過那罐飲料）。目前為止，這仍是個較量耐心的遊戲，他很高興這些索拉利人都還端坐在那裡。他們不像地球人，沒有近距離和他人打交道的經驗。他們不善於短兵相接。

他又說：「接下來討論機會。大家普遍認為只有德拉瑪夫人有犯案的機會，因為只有她能夠真正接近她丈夫。

「我們能夠肯定嗎？可否假設決心殺害德拉瑪博士的另有其人呢？這麼堅決的意志難道不能克服面對面的不自在嗎？如果打定這個主意的是你，難道你不能硬著頭皮面對被害者一時半刻嗎？難道你不可能溜進德拉瑪的宅邸……」

亞特比希冷冷地打岔道：「你對事實認識不清，地球人。我們能否這麼做並不重要，事實是，德拉瑪博士自己不會允許任何人和他面對面，這點我能向你保證。如果有人來到他面前，不論此人和他的交情多麼深厚或多麼可貴，德拉瑪博士都會立刻把他趕走，若有必要，他還會召喚機器人幫忙趕人。」

「沒錯，」貝萊說：「但前提是德拉瑪博士知道有人在他面前。」

「你這是什麼意思？」索爾醫生問，他顯得很驚訝，連聲音都在發抖。

「當天你抵達兇案現場，在救治德拉瑪夫人的時候，」貝萊直勾勾地望著對方，「原本她還以為那是你的顯像，直到碰觸到你，她才恍然大悟。這是她告訴我的，我願意相信。而我自己一向習慣和人面對面，因此我在抵達索拉利之初，在會見葛魯爾局長的時候，還以為見到了他本人。等到我們會晤結束，葛魯爾立刻消失，當時我還嚇了一大跳。

「現在，不妨假設一個剛好相反的情形，假設某人成年後一律以顯像見人，再也未曾面對他人，只有他的妻子是唯一例外。然後，假設有另一個人真正向他走近，他會不會自然而然假設那只是顯像──尤其是還有機器人奉命告訴他顯像已接通的時候？」

「絕無可能，」奎摩特說：「一致的背景會露出馬腳。」

「或許吧，可是現在你們哪位注意到了背景呢？在德拉瑪博士覺得有些不對勁之前，至少已經過了一分鐘左右吧，在這段時間裡，他的那位朋友──不管是誰──已經能夠走到他面前，舉起棍子用力砸下去。」

「不可能。」奎摩特堅持己見。

「我不這麼想。」貝萊說：「我認為從現在開始，不能再用『機會』一口咬定德拉瑪夫人就是兇手。她是有機會，但別人也有。」

貝萊又等了一下。他覺得額頭冒汗了，但伸手擦汗會令自己顯得軟弱。他必須對整個議程保有絕對的主導權。一定要讓他心中的目標自覺處於劣勢──地球人要讓太空族有這種感覺，可是難上加難的事。

貝萊向眾人一一望去，認定目前的進展至少還算順利。就連原本冷冰冰的亞特比希，現在似乎也相當投入了。

「因此，」他說：「最後我們要討論方法了。這是最費解的一項，因為這樁命案的兇器始終沒被找到。」

「這點我們也知道。」亞特比希說：「如果不是這個緣故，我們已將德拉瑪夫人正式定罪，不會展開什麼調查了。」

「也許吧。」貝萊說：「所以，讓我們來分析一下所謂的方法。這件案子的兇手可能是德拉瑪夫人，但也可能不是，因此共有兩種可能性。如果德拉瑪夫人就是兇手，除非兇器事後被移走了，否則一定仍然留在兇案現場。我的搭檔——來自奧羅拉的奧利瓦先生，今天他並不在場——認為索爾醫生有機會取走兇器。現在，我當著眾人的面，正式質問索爾醫生，你到底有沒有這麼做，有沒有趁著檢查德拉瑪夫人之便取走了兇器？」

索爾醫生渾身發抖。「沒有，沒有，我可以發誓。不管你怎麼問，我的回答都一樣。我發誓，當天什麼也沒拿走。」

貝萊說：「現在，有沒有誰想要指控索爾醫生說謊？」

接下來是一陣沉默，與此同時，李比望向顯像視野外的某個角落，咕噥了一聲時間不早了。

貝萊接著說：「第二個可能性，則是兇手另有其人，而他在離去時帶走了兇器。倘若真是這樣，我們就得問為什麼了。把兇器帶走，等於宣告德拉瑪夫人並不是兇手。除非這個外來的殺手十足是個白癡，否則一定會把兇器留在屍體旁邊，以便嫁禍德拉瑪夫人。因此無論如何，兇器一定還在現場！偏偏誰也找不到。」

亞特比希說：「你把我們當成了傻子還是瞎子？」

「我把你們當成了索拉利人。」貝萊心平氣和地說：「因此，兇器雖然明明留在現場，你們卻認不出來。」

「我完全聽不懂了。」克蘿麗莎苦著臉說。

就連幾乎始終一動不動的嘉蒂雅，這時也萬分訝異地瞪著貝萊。

貝萊說：「當天，除了他們夫妻倆一死一昏迷，現場還有一個機器人，一個故障的機器人。」

「所以呢？」李比氣呼呼地問。

「太明顯了吧，排除掉所有不可能的情況之後，剩下的無論多麼難以置信，也一定就是事實。那個出現在兇案現場的機器人就是兇器，由於你們從小受到制約，這種兇器你們是無法認出來的。」

眾人立刻你一言我一語，唯有嘉蒂雅例外，她只是瞪大了眼睛。

貝萊舉起雙手。「好了，安靜！聽我解釋！」他把葛魯爾險遭謀殺的經過重新講了一遍，並說明了兇手可能使用的方法。最後，他還提到自己也險些命喪育場那件事。

李比不耐煩地說：「我想這沒什麼難的，首先，讓一個機器人在不知情的情況下做一枝毒箭，然後讓另一個機器人先告訴那孩子你是地球人，再將那枝毒箭交給他，當然，第二個機器人並不知道箭上有毒。」

「八九不離十。總之，必須對兩個機器人下達完整的指令。」

「牽強附會至於極點。」李比說。

奎摩特臉色慘白，看來好像隨時可能病倒。「沒有任何索拉利人會用機器人來傷害人類。」

「或許沒錯。」貝萊聳了聳肩，「但重點是你的確能這麼使喚機器人。問問李比博士，他是機器人學家。」

李比說：「這並不適用於德拉瑪博士的命案，昨天我已經告訴過你了。你怎麼可能讓機器人砸爛人類的頭顱？」

「我該解釋一番嗎？」

「你最好能夠解釋。」

貝萊說：「那個機器人是德拉瑪博士正在測試的新機型。我原本沒看出背後的意義，直到昨天晚上，我碰巧需要叫一個機器人拉我一把，所以我說：『借你的手用用！』那機器人卻不解地望著自己的手，彷彿以為我要他把手拆下來遞給我。我不得不改用更直接的說法，把命令重新說一遍。但我隨即聯想到李比博士稍早告訴我的一件事，那就是他們正在研究替機器人安裝可置換的四肢。

「假設這個正在接受德拉瑪博士測試的機器人屬於這一型，也就是說，它能輕易換上各種形狀的四肢，以便從事各式各樣的工作。假設兇手知道這一點，猛然對那機器人說：『把手臂借我一下。』機器人就會拆下自己的手臂，遞給那個兇手。那隻手臂就是絕佳的兇器。等到殺死了德拉瑪博士，它可以立刻被裝回去。」

當貝萊進行這番陳述之際，眾人逐漸從驚愕中醒轉，七嘴八舌地發表反對意見。貝萊必須提高音量吼出最後那句話，但即便如此，它還是幾乎遭到淹沒。

亞特比希面紅耳赤地站起來，往前走了幾步。「就算你說的通通都對，德拉瑪夫人仍舊是兇手。當時她就在現場，而且正在跟他吵架。她見到她丈夫在研究那個機器人，所以知道它的四肢可以置換——必須強調，我自己並不相信這回事。反正不管你怎麼做，地球人，一切的證據仍舊指向她。」

嘉蒂雅開始低聲啜泣。

貝萊並未望向她。「剛好相反，很容易證明無論兇手是誰，總之不是德拉瑪夫人。」

約珊．李比突然將雙臂交握胸前，露出明顯的輕蔑神情。

貝萊注意到這個舉動，立刻說：「你得幫我一個忙，李比博士。身為機器人學家，你一定知道需要極為高明的技巧，才能操縱機器人進行這種間接謀殺。昨天我曾為了安全的理由，試圖把某人軟禁起來。我對三個機器人下達了詳盡的指令，告訴它們該怎麼做。這是一件很簡單的事，可是我對機器人並不在行。我的指令裡有漏洞，讓那人趁機溜掉了。」

「你軟禁的是誰？」亞特比希追問。

「無關緊要。」貝萊不耐煩地答道，「重要的是由此可知，外行人無法精準地掌控機器人。而就索拉利的標準而言，或許某些索拉利人也只能算外行。比方說，嘉蒂雅．德拉瑪對機器人學瞭解多少？……嗯，請李比博士回答好嗎？」

「什麼？」機器人學家瞪大眼睛。

「你曾想傳授德拉瑪夫人機器人學。她這個學生怎麼樣？她學到什麼東西嗎？」

李比不安地四下張望。「她不……」然後就說不下去了。

「她完全不是這塊料，對不對？或是你並不想回答這個問題？」

李比硬生生地說：「她也許只是假裝不懂。」

「那麼你是否準備以機器人學家的身份宣稱，你認為德拉瑪夫人的本事足以指揮機器人進行間接謀殺？」

「這要我怎麼回答呢？」

「讓我換個方式說吧。無論想在育場用毒箭暗算我的是誰，他一定是利用機器人的聯絡網找到我的。畢竟，我並未把自己的目的地告訴任何人類，只有負責載送我的機器人知道我的行蹤。昨天稍後，我的搭檔丹尼爾．奧利瓦花了好大一番工夫，才終於找到我在哪裡。反之，那兇手卻一定不費吹灰之力，因為他不但找到了我，還在我離開育場之前，便將這場暗算從頭到尾安排好了。請問德拉瑪夫人有本事做到嗎？」

考文．亞特比希傾身向前。「在你心目中，地球人，誰有這個本事呢？」

貝萊說：「約珊．李比博士自認是這個世界上最好的機器人學家。」

「你是在指控我嗎？」李比高聲喊道。

「是的！」貝萊吼了回去。

李比眼中的怒火慢慢褪去，但嚴格說來取而代之的並非平靜，而是一種被強行壓抑的緊張。他開口道：「兇案發生後，我檢查過德拉瑪的那個機器人。至少在一般人眼中，它並沒有可拆換的四肢。想要拆下它的手腳，必須動用特殊的工具，並由專家親自操作。所以說，那機器人並非殺害德拉瑪的兇器，你的理論無法成立。」

貝萊問：「還有誰能替你的說法背書？」

「我說的每個字都不容置疑。」

「現在例外。我正在指控你，而你這番單方面的說法一點用也沒有。如果有人替你作證，那便又另當別論。順便問一下，你很快就把那個機器人銷毀了，這是為什麼？」

「沒必要留著它。它完全失靈了，成了一堆廢鐵。」

「原因呢？」

李比衝著貝萊搖了搖手指，兇巴巴地說：「之前你就問過我這個問題，地球人，而我也回答過了。它目睹了一樁它無力阻止的謀殺。」

「當時你告訴我，這種情形一定會導致機器人全盤崩潰，這是普適的規律。可是在葛魯爾中毒後，端水給他的那個機器人只是變得手腳不靈、口齒不清而已。在那個看來應該是謀殺的事件中，它不僅僅是目擊者，而是實際上有所參與，但它的心智並未崩潰，它仍然能接受偵訊。

「因此這個機器人，德拉瑪命案中的這個機器人，涉案程度一定遠超過葛魯爾案的那個機器人。這個機器人的手臂一定曾被當作殺人兇器。」

「胡說八道。」李比喘著氣說：「你對機器人學一無所知。」

貝萊答道：「我不否認這句話。但我會向安全局的亞特比希局長建議，把你的機器人工廠和維修廠裡的記錄通通扣押。這麼一來，或許我們便能確定你有沒有製造可拆換四肢的機器人，以及有沒有送交這樣的機器人給德拉瑪博士，以及何時送去的。」

「誰也不准碰我的記錄。」李比吼道。

「為什麼？如果你沒有任何祕密，為何不能碰？」

「但我究竟為什麼想要殺德拉瑪呢？告訴我，我的動機是什麼？」

「我能想到兩個動機。」貝萊說：「你和德拉瑪夫人交情很好，好過了頭。索拉利人或多或少也算人類。你從未接觸過異性，但這並不能讓你免於——這麼說吧——生物的衝動。你曾親眼看過——抱歉，透過顯像看過——德拉瑪夫人穿得很不正式，而且……」

「沒有。」李比極其痛苦地喊道。

嘉蒂雅也壓低聲音吐出一句：「沒有。」

「或許你自己並未認清這種情慾的本質，」貝萊說：「也可能你隱約有些概念，卻將它視為弱點而感到不恥，而既然這都是德拉瑪夫人撩起來的，你自然對她懷恨在心。但你或許同樣痛恨德拉瑪，因為她是他的人。你的確邀請過德拉瑪夫人當你的助手，這是你對自己本能慾望所做的妥協。而她婉拒了你，因此更加強了你的恨意。於是你殺了德拉瑪博士，並嫁禍給德拉瑪夫人，這樣便能同時報復他們兩人。」

「有誰會相信這種粗劣的、如同戲詞的下流言語？」李比啞著嗓子追問，「地球人或許會，野獸或許會，索拉利人絕對不會。」

「這個動機僅供參考而已。」貝萊說：「我相信它存在，至少存在於你的潛意識，可是你還有個更明顯的動機。瑞坎恩．德拉瑪博士妨礙了你的計畫，所以你必須除掉他。」

「什麼計畫？」李比追問。

「你打算征服銀河的那個計畫，李比博士。」貝萊說。

第十八章　答案

「這地球人瘋了。」李比轉向眾人喊道，「難道你們看不出來嗎？」

有些人無言地瞪著李比，其他人則瞪著貝萊。

貝萊不給他們下結論的機會，趕緊接著說：「你自己最清楚，李比博士。德拉瑪博士死前正準備和你拆夥，德拉瑪夫人以為問題出在你不想結婚，我卻不這麼想。德拉瑪博士自己就在開創一個以人工生殖取代婚姻的未來。可是德拉瑪博士和你有著合作關係，因此對你的研究工作比任何人都更瞭解，或說猜得更準。如果你試圖進行危險的實驗，他一定會知道，而且會設法阻止你。他曾對葛魯爾局長暗示過這件事，但並未提供詳情，因為詳情他自己也不確定。顯然，你發現他已經起疑，於是殺了他。」

「你瘋了！」李比又罵了一句，「我不想管這件事了。」

亞特比希卻插嘴道：「聽他說完，李比！」

貝萊聽得出安全局長聲音中欠缺同情之意，但他緊抿著嘴，以免過早流露出得意之色。他又說：「昨天，當你提到可拆換四肢的時候，李比博士，你還提到星艦可以內建有正子腦。當時你的話未免太多了些。是不是因為你覺得我只是地球人，無法瞭解機器人學的發展潛力？或是因為我原本威脅說要見你，後來回心轉意，所以你高興得頭腦不清了？無論如何，總之奎摩特早已告訴我，正子機器人正是索拉利對抗其他外圍世界的祕密武器。」

奎摩特冷不防地聽到自己的名字，猛然跳了起來，喊道：「我指的是……」

「我知道，你指的是社會學上的意義，但這句話帶給我不少啟示。想想看，內建正子腦的星艦和載人的星艦究竟有什麼不同。在實際作戰時，載人的星艦根本無法使用機器人。無論敵艦上或敵方世界上的人類，機器人都無法摧毀，因為機器人無法將人類分成敵人和自己人。

「當然，你可以告訴機器人說敵艦上沒有任何人類，還可以告訴它遭到轟炸的是一顆無人行星。但實際上很難做到這一點，機器人看得出自己的船艦上有人，也知道自己的世界上住著人類，它當然會假設敵方陣營也是同樣的情形。想讓機器人服服貼貼，得由真正的機器人學專家出馬，例如李比博士你自己，而這樣的專家少之又少。

「但配備正子腦的星艦就完全不同了，在我想來，它會樂意奉命對任何船艦展開攻擊。它自然而然會假設其他船艦上同樣沒有人。正子腦星艦不難被設定成無法接收敵艦的訊息，因而無從獲悉實情。既然武器和防禦系統都在正子腦的直接控制下，它會比任何載人星艦更加靈活。此外，由於上面不需要活動空間、補給品、清水以及空氣濾清器，它能擁有更多的武器，更強的裝甲，因而比普通的星艦更無懈可擊。一艘正子腦星艦就能擊敗一支普通的艦隊，我有沒有說錯？」

最後那個問題當然是針對李比博士，而他早已站了起來，挺直到了近乎僵硬的程度，似乎心中充滿——什麼？憤怒？恐懼？

他並未回答，誰也沒聽見他說半句話。這時緊繃的氣氛突然瓦解，人人競相發出瘋狂的吶喊。克蘿麗莎像是戴上一副復仇女神的面具，就連嘉蒂雅也坐不住了，她不但站起來，還不斷衝著空氣揮拳。

李比成了眾矢之的。

貝萊放心地閉上眼睛，試著暫且放鬆肌肉並舒展肌腱。

成功了。他終於按對了按鈕。奎摩特曾把索拉利上的機器人比喻成斯巴達的希洛人。他說機器人不可能叛變，因此索拉利人可以高枕無憂。

可是，萬一有人妄想教導機器人如何傷害人類呢？換言之，給了它們叛變的能力？

難道這還不算罪大惡極嗎？在索拉利，機器人和人類的比例是兩萬比一；在這樣一個世界上，如果某人只是涉嫌想讓機器人有能力傷害人類，難道就不會成為全民公敵嗎？

亞特比希喊道：「你被捕了。絕對不准再碰你的筆記和記錄，政府會盡快派人去檢查……」他近乎語無倫次地說下去，但現場亂成一團，誰也聽不清楚他還說了些什麼。

這時，一個機器人走近貝萊。「主人，奧利瓦主人稍來的口信。」

貝萊神情嚴肅地聽完口信，然後轉過頭來，大聲喊道：「大家靜一靜。」他的聲音幾乎有著魔力，眾人紛紛鄭重其事地朝他望去，全神貫注地注視著這個地球人（只有李比仍舊怒目而視）。

貝萊開口道：「只有傻子才會指望李比博士再也不碰那些記錄，乖乖等著政府官員前來接收。所以早在開會之前，我的搭檔丹尼爾·奧利瓦便已啟程前往李比博士的屬地。我剛接到他的消息，他已經抵達目的地，即將找到李比博士，以便牢牢看住他。」

「看住我！」李比彷彿一頭受驚的野獸，發出淒厲的嗥叫。他的眼睛睜到了最大的程度，彷彿腦袋上的兩個窟窿。「有人要來這裡？和我面對面？不！不！」第二個「不」根本就是一聲尖叫。

「只要你合作，」貝萊冷冷地說：「他不會傷害你的。」

「但我不要見他，我不能見他。」這位機器人學家跪倒在地，卻似乎渾然不覺。他雙手合十，活脫一副求人饒命的模樣。「你到底要什麼？要我招認嗎？那個機器人的四肢的確可以拆換。沒錯，沒錯，沒錯。葛魯爾中毒是我一手策劃的，令你差點中箭的也是我。我甚至如你所說，正在策劃建造那樣的星艦。我還沒成功，不過，沒錯，我的確在策劃。我都招了，拜託叫那人走開，別讓他進來，叫他走開！」

他越說越含混不清。

貝萊點了點頭。又按對了一個鈕，拿面對面來威脅他，比任何刑求逼供更有效。

然後，在其他人看不到也聽不到的某個角落，不知出現了什麼動靜，李比猛然轉過頭去，立刻張大嘴巴。他還舉起雙手，像是要擋住什麼東西。

「走開，」他懇求道：「走開。別過來，求求你別過來，求求你……」

他趴下來爬了幾步，突然將手伸進外套口袋中。只見他掏出一樣東西，迅速放進嘴裡。搖晃兩下之後，他便仆倒在地了。

貝萊很想大叫：你這傻瓜，走近你的並非人類，只是一個你最喜愛的機器人。丹尼爾．奧利瓦衝進顯像範圍，瞪著那個倒地不起的身軀愣了一陣子。

貝萊屏息以待。萬一丹尼爾想通了是他的人類外形害死李比的，那麼第一法則恐怕會讓他的腦子吃不消。

不過丹尼爾只是跪下來，用細長的手指在李比身上到處摸了摸。然後他抬起李比的頭，緊緊摟在懷中，彷彿抱著一件珍愛至極的事物。

他將雕像般俊美的臉孔朝向眾人，輕聲說道：「這個人死了！」

貝萊正在等她，因為她曾表示要跟他話別。可是當她出現的時候，他不禁睜大了眼睛。他說：「你在我面前。」

「沒錯，」嘉蒂雅說：「你怎麼看出來的？」

「你戴著手套。」

「喔。」她不知所措地望著自己的雙手。然後，她輕聲說：「你介意嗎？」

「不，當然不介意。但你為何決定當面見我，而不用顯像呢？」

「這——」她硬擠出一抹笑容，「我必須習慣這件事，對不對，以利亞？我的意思是，既然我要去奧羅拉了。」

「所以一切都安排好了？」

「奧利瓦先生似乎很有影響力。一切都安排妥當，我再也不會回來了。」

「很好。你會過得更快樂，嘉蒂雅，我對你有信心。」

「我有點害怕。」

「我知道。那意味著你隨時會面對他人，再也不像在索拉利這麼自在了。但你會習慣的，更重要的是，你會慢慢忘掉這些可怕的經歷。」

「我不想忘掉任何事。」嘉蒂雅輕聲細語地說。

「你會的。」然後，貝萊望著這個站在自己面前的纖細女子，帶著一絲悵惘說：「總有一天你還會結婚，我是指真正的婚姻。」

「不知道為什麼，」她消沉地說：「現在聽起來，這似乎對我沒什麼吸引力了。」

「你的想法會逐漸改變的。」

兩人站在那裡，無言地對望了片刻。

嘉蒂雅又說：「我一直還沒有謝你。」

貝萊說：「這是我分內的事。」

「你馬上要回地球去了，是嗎？」

「是的。」

「我再也見不到你了。」

「或許吧。但別因此感到難過。我頂多再過四十年就會死了，而那個時候，你看起來不會和現在有絲毫不同。」

她的表情扭曲了。「別這麼說。」

「這是實話。」

她彷彿想要強行改變話題，快速說道：「關於約珊・李比那些事都不假，你知道吧。」

「我知道。其他幾位機器人學家清查了他的記錄，發現他的確在研究無人駕駛的智慧型星艦。而且，他們又發現了幾個擁有可置換四肢的機器人。」

嘉蒂雅打了一個哆嗦。「你想，他為什麼要做這種可怕的事呢？」

「因為他怕見人。為了避免和人面對面，他甚至不惜自殺。他打算將其他世界的人通通殺光，好讓索拉利再也接觸不到外人，讓面對面永遠成為禁忌。」

「他怎麼會有這樣的想法，」她抱怨道：「其實面對面可以是很……」

相隔十步的兩人又面面相覷地沉默了一陣子。

然後，嘉蒂雅突然叫道：「喔，以利亞，你會覺得我不知廉恥。」

「什麼事不知廉恥？」

「我能碰碰你嗎？我再也見不到你了，以利亞。」

「如果你想，我不反對。」

她一步步向他走近，只見她雙眼發亮，卻也同時顯露出憂慮。最後，她在三英尺外停下腳步，彷彿被催眠般，開始慢慢摘下右手的手套。

貝萊連忙做了一個制止的手勢。「別做傻事，嘉蒂雅。」

「我不怕。」嘉蒂雅說。

她的右手露了出來，一面發抖一面向前伸。

貝萊抓住她的手，他自己的手同樣在發抖。一時之間，他們就維持著這個姿勢，看得出她顯得既羞又怕。等到他鬆開手，她的手也立刻抽回去，但在毫無預警的情況下，那隻手猛然伸到他眼前，指尖輕輕地、迅速地掃過他的臉頰。

她說：「謝謝你，以利亞，再見了。」

他回了一句：「再見了，嘉蒂雅。」便默默目送她離去。

雖然明知自己即將搭乘太空船返回地球，此時此刻，他心中還是感到若有所失。

阿伯特・敏寧次長刻意在臉上堆出正式的歡迎神情。「很高興看到你回來了。當然，你的報告比你早一步回到地球，我們正在研究呢。你圓滿完成任務，我們會好好為你記上一筆。」

「謝謝您。」貝萊說。對於這種好消息，他已經有點麻木。回到了地球，投入了鋼穴安全的懷抱，還聽到了潔西的聲音（他跟她通過話了），竟然令他興出一種詭異的空虛感。

「然而，」敏寧說：「你的報告只提到了兇案的調查經過。還有一件事，我們也很感興趣，能否請你口頭做個報告？」

貝萊遲疑了一下，右手自然而然伸向外套的內袋，這回，他終於摸到那根能帶給他溫暖自在的菸斗了。

敏寧立刻說：「你儘管抽，貝萊。」

貝萊故意把點菸過程拖得相當長。「我並不是社會學家。」他說。

「不是嗎？」敏寧淺淺一笑，「我記得我們好像討論過，一名成功的警探，即使從未聽過漢克特方程式，也一定是個憑經驗法則行事的一流社會學家。看你現在這種不自在的神情，我想你對外圍世界已經有些見解，只是不確定我會作何感想，是嗎？」

「這麼說也沒錯，次長……當初您派我去索拉利的時候，曾經問我一個問題，那就是外圍世界到底有沒有短處。他們的長處是人口少、壽命長以及擁有機器人，但他們又有些什麼短處呢？」

「嗯？」

「我相信我已經發現索拉利人的短處了，次長。」

「你能回答我的問題了？很好，說吧。」

「他們的短處，次長，就是他們人口少、壽命長以及擁有機器人。」

敏寧瞪著貝萊，表情沒有絲毫變化，但雙手不自覺地在紙張上畫來畫去。

他問：「你為何這麼說？」

在返回地球途中，貝萊花了許多時間整理思緒，包括仔細想像如何用說之以理的方式跟地球官員侃侃而談。現在他卻不知如何開口。

他答道：「我不確定能否說得清楚。」

「沒關係，讓我聽聽看。反正只是大略描述罷了。」

貝萊說：「有一樣東西，人類保有了百萬年，卻被索拉利人放棄了。這樣東西要比原子能、城市、農業、工具、火，乃至一切的一切更為重要，因為一切的一切都是它所造就的。」

「我不想猜謎，貝萊，那到底是什麼？」

「就是群居，次長，也就是人與人之間的合作。索拉利把它完全放棄了。那個世界上的人個個離群索居，他們唯一的社會學家居然還引以為傲。順便提一下，那位社會學家從未聽過社會數學這門學問，因為連社會學都是他自己發明的。沒有任何人教導他，沒有任何人幫助他，沒有任何人替他找出自身的盲點。在索拉利，只有機器人學是唯一真正發達的科學，但也只有一小撮人從事研究；一旦需要分析機器人和人類的互動，他們就得向地球人求助了。

「索拉利的藝術，次長，都是抽象的。在地球的眾多藝術形式中，當然也有抽象藝術，但索拉利卻只有這一種。人味兒通通不見了。而他們對未來的展望則是人工生殖，是讓人類完全不再自然生育。」

敏寧說：「這些聽起來都很可怕，但有實際的害處嗎？」

「我想答案是肯定的。沒有了人與人的互動，無論是人生的樂趣、智慧的價值，甚至活下去的理由都所剩無幾了。顯像無法取代見面，索拉利人自己也明白顯像只是一種遠距離的接觸。

「如果相互隔離還不足以造成文明的停滯，別忘了還有長壽這一項。在地球上，不斷有年輕人加入我們的社會，他們無論在各方面都還來不及僵化，因而樂於求新求變。我認為壽命有個最佳值——必須夠長，好讓人人能有真正的貢獻，但也必須夠短，好讓汰舊換新的速度不會太慢。而在索拉利，速度卻太慢了。」

敏寧繼續用手指畫著圈圈。「有意思！有意思！」他抬起頭來，雙眼露出欣喜的神采，原本掛在他臉上的面具似乎不見了。「便衣刑警，你很有洞察力。」

「謝謝您。」貝萊硬邦邦地說。

「你可知道我為什麼鼓勵你對我說這些嗎？」這時的他活脫一個歡天喜地的孩子，不等貝萊回答，他就繼續說下去。「我們的社會學家已經對你的報告做過初步分析，我只是好奇，對於你為地球帶來的這個大好消息，你自己到底有沒有任何想法。現在我知道了，你的確有。」

「且慢，」貝萊說：「我還沒講完。」

「你的確沒講完。」敏寧歡欣鼓舞地說：「索拉利的停滯狀態已經沒救了。它已經跨過臨界點，他們對機器人太過依賴了。即便適當的管教是必須的，機器人也不能出手管教小孩。機器人只看得到當下的疼痛，看不到將來的好處。推而廣之，就算索拉利的制度已經誤入歧途，索拉利機器人也無法管教這個世界，否則它們大可放手讓這個制度崩潰。機器人只看得到一時的混亂，看不到崩潰後的重生。因此，外圍世界唯一的下場就是永遠停滯，而地球終將脫離他們的控制。這個嶄新的數據改變了一切。我們甚至不必起而反抗，自由就會自己到來。」

「且慢，」貝萊又更大聲地說了一遍，「我們僅僅在討論索拉利而已，並未討論到其他外圍世界。」

「它們都一樣。那個索拉利的社會學家——圭摩特——」

「奎摩特，次長。」

「好吧，奎摩特。他是不是說過，其他外圍世界都沿著索拉利的軌跡在發展？」

「他是這麼說過，但他對其他外圍世界並沒有第一手的認識。何況嚴格說來，他也不算真正的社會學家。我想這點我早就說明了。」

「我們的社會學家自會仔細研究。」

「他們同樣欠缺數據。對於那些真正強大的外圍世界，我們一無所知。比方說，丹尼爾的世界奧羅拉就是現成的例子。在我看來，把它們和索拉利做任何聯想都沒什麼道理。事實上，在整個銀河中，只有一個世界類似索拉利……」

敏寧輕鬆愉快地揮了揮手，表示不想討論下去了。「我們的社會學家自會研究，我相信他們會同意奎摩特的觀點。」

貝萊的眼神變憂鬱了。如果地球的社會學家渴望發掘好消息，那麼在這個問題上，他們會欣然同意奎摩特的看法。只要找得夠久夠勤，並適度忽略或漠視一些資料，不難在數據中找到任何結果。

他猶豫了一下。現在他正面對一名政府高官，這是暢所欲言的好時機嗎，還是……

不過貝萊未免猶豫得太久。敏寧再度開了口，他一面撥弄桌上的文件，一面以比較認真的口吻說：「便衣刑警，還有幾個小問題，是關於德拉瑪的命案，講完你就可以走了。你是不是故意逼李比自殺的？」

「我只打算逼他招認，次長，從未想到他會自殺。說來也真諷刺，走近他的只是一個機器人，根本不會觸犯什麼面對面的禁忌。可是，坦白講，我對他的死絲毫不覺得遺憾。他是個危險人物。像他這種集病態心理和不世才華於一身的人，是不會經常出現的。」

「這點我同意，」敏寧冷冷地說：「我也認為他死得好。可是，難道你不擔心索拉利人突然想通李比絕不可能殺害德拉瑪，導致你功虧一簣嗎？」

貝萊將菸斗從嘴裡拿出來，但什麼也沒說。

「得了吧，便衣刑警。」敏寧說：「你也知道不是他幹的。這起謀殺必須面對面進行，李比卻寧死也不肯和人見面。他之所以自殺，就是為了避免見人。」

貝萊答道：「您說得對，次長。當初我抱著一點投機心態，希望索拉利人被李比濫用機器人這回事嚇傻了，以至於想不到這一層。」

「那麼德拉瑪到底是誰殺的？」

貝萊慢吞吞地說：「您若是問真正下手的是誰，那麼答案早已眾所周知。當然是嘉蒂雅·德拉瑪，他的妻子。」

「而你放走了她？」

貝萊說：「就情理而言，這筆帳不該算到她頭上。李比早就知道嘉蒂雅和她丈夫經常吵架，而且吵得很兇。此外，他也一定知道她生起氣來會變得多兇悍。李比希望一石二鳥，將丈夫的死嫁禍到妻子頭上。因此他替德拉瑪做了一個機器人，而且我猜他使出渾身解數，確保那機器人會在嘉蒂雅盛怒之際，將自己的手臂拆下來遞給她。在那個關鍵時刻，她暫時失去了理智，一旦有東西在手，第一時間便砸下去，令德拉瑪和那個機器人都來不及阻止。嘉蒂雅可以說和那個機器人一樣，都只能算是李比的行兇工具。」

敏寧說：「那機器人的手臂一定沾上了血跡和毛髮。」

「有此可能，」貝萊說：「但那個機器人是由李比負責善後的。若有其他機器人注意到這件事，他也很容易命令它們忘得一乾二淨。索爾醫生或許也注意到了，但他只負責檢查死去的丈夫和昏迷不醒的妻子。李比僅僅犯了一個錯誤，那就是他認為嘉蒂雅的罪證太過明顯，兇器在不在現場無關緊要。當然，他也無法預見會有個地球人被找去協助辦案。」

「因此李比一死，你就趕緊安排嘉蒂雅離開索拉利。你是為她著想，以免哪天索拉利人又對這件案子起疑？」

貝萊聳了聳肩。「她受的罪也夠了。大家都在折磨她，包括她的丈夫、李比，以及索拉利這個世界。」

敏寧說：「你這麼做，難道不是以個人好惡來曲解法律嗎？」

貝萊剛直的臉孔變得更冷峻了。「這不算個人好惡。我並不受索拉利法律的管轄。對我而言，地球的福祉比什麼都重要，為了保護地球，我一定要讓那個危險份子李比受到制裁。至於德拉瑪夫人——」他和敏寧正面相對，覺得自己即將邁出最關鍵的一步。「至於德拉瑪夫人，我把她當成一個實驗品。」這是他非說不可的一句話。

「什麼實驗？」

「我想知道她願不願意活在一個把面對面視為理所當然的世界，更想知道她有沒有勇氣打破自己那些根深柢固的習慣。我原本擔心她會拒絕我的安排，擔心她不願放棄目前這種扭曲的生活方式，堅持要留在那個對她而言無異煉獄的索拉利。但她選擇了改變，這令我很高興，因為我覺得這彷彿是個象徵，彷彿替我們自己找到了自救之道。」

「我們？」敏寧中氣十足地說：「你葫蘆裡在賣什麼藥？」

「我並不是指你我兩人，次長。」貝萊嚴肅地說：「而是指所有的人類。您對其他外圍世界的瞭解並不正確。他們的機器人並不多，他們並不在乎面對面，而且他們一直在研究索拉利。您也知道，機．丹尼爾．奧利瓦全程參與了我的調查工作，他也會帶一份報告回去。他們的確有可能變成另一個索拉利，但他們或許看得出這個潛在危機，因而設法維持一個合理的平衡，這麼一來，他們就能繼續領導所有的人類。」

「那只是你個人的看法。」敏寧不耐煩地說。

「我還沒說完呢。的確有一個世界很像索拉利，那就是地球。」

「貝萊便衣！」

「這是事實，次長，我們是索拉利的翻轉版。他們退縮到彼此隔絕的程度，我們則是退縮到了和整個銀河隔絕。他們被那些神聖不可侵犯的屬地帶到了死胡同，我們的死胡同則是這些地底大城。除了那些無法回嘴的機器人，他們沒有其他的追隨者。而我們呢，只有封閉的大城提供安全保障，卻找不到任何領導者。」說到這裡，貝萊握緊了拳頭。

敏寧根本聽不進去。「便衣刑警，這趟任務讓你吃了不少苦。你需要好好休息，我們不會虧待你的。放你一個月的支薪假，然後晉升一級。」

「謝謝您，但我要的不是這個，我要您聽我說下去。只有一個方向能讓我們走出死胡同，那就是向外走，向太空前進。銀河中有百萬個世界，屬於太空族的僅五十個而已。他們人口少而壽命長，我們則是人口多而壽命短。相較之下，我們比他們更適合探勘和開拓銀河。我們有人口壓力在背後驅策，還有迅速的世代交替不斷替我們補充求新求變的年輕成員。想當初，建立那些外圍世界的正是我們的祖先。」

「好，我懂了——但恐怕時間不早了。」

貝萊明顯感受到對方急於擺脫自己，卻不動如山地站在原處。「後來，那些移民世界逐漸獨立，並發展出超越我們的科技，而我們的因應之道竟是打造許多有如子宮的地底大城。太空族令我們感到自卑，我們只好盡量躲避。這絕不是辦法。想要避免循環不已的起義和鎮壓，我們必須跟他們競爭——必要的話，不妨追隨他們；可以的話，還要領導他們。想做到這一點，我們必須面對開放空間，我們必須教會自己這個本事。如果教育我們自己已經太遲，那就務必從下一代教起。這太重要了！」

「你需要好好休息，便衣刑警。」

貝萊兇巴巴地說：「聽我講完，次長。假如太空族的確強大，而我們甘於保持現狀，那麼不出一個世紀地球就會毀滅。您自己告訴過我，這是社會學家算出的結果。反之，假如太空族確實不強，而且越來越弱，我們就有機會逃過一劫。可是誰說太空族不強呢？索拉利的確外強中乾，但目前為止，我們就只知道這個世界而已。」

「可是……」

「我還沒講完呢。不論太空族是強是弱，都不妨礙我們進行一項改變，那就是我們自己的心態。只要我們願意面對開放空間，就再也不需要起義造反。我們自己也能變成太空族，也能擴散到許許多多的外太空世界。如果我們一直把自己囚禁在地球上，那些徒勞的、自取滅亡的叛亂永遠沒完沒了。另一方面，如果我們假設太空族虛有其表，因而抱持錯誤的希望，那就更糟了。去，去問問那些社會學家，看看他們是否認同我的立論。如果他們仍舊存疑，就設法把我送到奧羅拉去。等到我針對真正的太空族提出一份報告，你就會知道地球必須怎麼做了。」

敏寧點了點頭。「好，好。再會了，貝萊便衣。」

貝萊帶著歡欣的心情離去。他並未指望敏寧會當場回心轉意；想要扭轉那些根深柢固的想法，絕非一朝一夕的事。不過，他的確看到敏寧臉上掠過一絲遲疑的神色，而且至少有那麼一下子，這份遲疑取代了原本毫無保留的洋洋得意。

他覺得未來的發展已經呈現眼前。敏寧會去詢問一些社會學家，其中總有一兩位會有點動搖。他們會感到好奇，然後便會來請教貝萊。

頂多一年，貝萊心想，頂多再過一年，我就能啟程前往奧羅拉。而一個世代之後，我們就能重返太空。

貝萊上了北向的捷運帶。他很快就會見到潔西，她能瞭解這一切嗎？他們的兒子班特萊今年十七歲了，等到他自己的兒子十七歲之際，班會不會正站在某個無人世界上，努力打造一個開闊的人生？

這是個可怕的想法。貝萊對開放空間仍舊心存恐懼。但這個恐懼已經嚇不倒他！他再也不要逃避這種恐懼，他要正面迎戰。

貝萊覺得自己似乎有點著了魔。打從一開始——當他智取了丹尼爾、打開了地面車的天窗——開放空間就對他有一種詭異的吸引力。

當時，他自己也不太瞭解。丹尼爾認為他只是一時行為反常，貝萊自己則認為那是出於專業需要——想要偵破這個案子，他就得面對開放空間。直到離開索拉利的前夕，他用力一把扯下窗簾，才明白自己之所以有這種需要，純粹是由於開放空間本身的吸引力，以及它所應許的那份自由。

一定還有好幾百萬地球人感受得到這種衝動。當然，必須先讓他們瞭解這份吸引力，讓他們邁出第一步。

他四下望了望。

捷運帶正在迅速前進，一排排公寓則不斷後退。周遭充滿了人工照明、交通號誌、商店的櫥窗、各式各樣的工廠——光線、噪音和人群，以及更多的噪音，更多的人群，更多更多的人群……

這一切，原本都是他所珍愛的，都是他不敢也不捨拋棄的，都是他在索拉利時以為自己所懷念的。

現在看來，一切都好陌生。

他竟無法重新適應這個環境。

在前往外星辦案這段時間中，他身上發生了一些變化。

他曾告訴敏寧大城好像子宮，事實也的確如此。一個人想要長大成人，第一步該怎麼做？自然是必須呱呱墜地，必須離開子宮。然後，就再也不可能回去了。

貝萊已經離開過大城，他回不去了。大城再也不屬於他，這些鋼鐵洞穴已經形同陌路。這是個必經的過程，其他人也將會經歷一遍。然後地球便能重生，開始對外發展。

他的心臟跳得又急又猛，周遭形形色色的聲音反倒幾乎聽不見了。

他猛然想起在索拉利所做的那個夢，終於瞭解它的意義了。他抬起頭來，覺得自己的視線能輕易穿透頭頂所有的鋼筋混凝土和所有的人群。太空中有一座吸引人類勇往直前的燈塔，而他一眼就看到了。他看到它正灑下萬丈光芒，那是一顆赤裸裸的太陽！

YS0006X 經典艾西莫夫 02　ISBN 978-986-262-153-0

機器人四部曲之 II：裸陽

作　　者　艾西莫夫（Isaac Asimov）
譯　　者　葉李華
選書顧問　陳穎青（老貓）
責任主編　謝宜英
執行編輯　吳欣庭
校　　對　李鳳珠、葉李華、謝宜英
封面設計　吳文綺
版面構成　謝宜欣
總 編 輯　謝宜英
行銷業務　張芝瑜
出　　版　貓頭鷹出版
發 行 人　涂玉雲
發　　行　英屬蓋曼群島商家庭傳媒股份有限公司城邦分公司
104 台北市中山區民生東路二段 141 號 2 樓
劃撥帳號：19863813　戶名：書虫股份有限公司
城邦讀書花園：www.cite.com.tw　購書服務信箱：service@readingclub.com.tw
購書服務專線：02-25007718～9（周一至周五上午09:30-12:00；下午13:30-17:00）
24小時傳真專線：02-25001990～1
香港發行　城邦（香港）出版集團／電話：852-25086231／傳真：852-25789337
馬新發行　城邦（馬新）出版集團／電話：603-90578822／傳真：603-90576622
印 製 廠　成陽印刷股份有限公司
初　　版　2013 年 8 月
定　　價　新台幣 320 元／港幣 107 元

讀者服務信箱　owl@cph.com.tw
貓頭鷹知識網　http://www.owls.tw
歡迎上網訂購；大量團購請洽專線02-25007696轉2729

國家圖書館出版品預行編目（CIP）資料

機器人四部曲之 II：裸陽／艾西莫夫（Isaac Asimov）著；
葉李華譯. -- 二版. -- 臺北市：貓頭鷹出版：
家庭傳媒城邦分公司發行, 2013. 08
320面；15×21公分
譯自：The naked sun
ISBN 978-986-262-153-0（平裝）

874.57 102010600